나는 왜 자꾸
내 탓을 할까

내 마음 제대로
들여다보는 법

나는 왜 자꾸 내 탓을 할까

허규형 지음

ORIGINALS

작가의 말

삶이라는 마라톤을 즐겁게 달리기 위해

정신건강의학과 의원을 찾는 사람들의 고민은 제각각입니다.

"우울하고 무기력한 느낌을 없애고 싶어요."

"제가 정말 이상해 보이나요? 모두 제가 이상하다고 하네요."

"선생님은 삶의 의미가 있나요? 어떻게 살아야 의미 있게 사는 걸까요?"

저마다 생김새가 다른 것처럼 사람마다 각기 다른 고민을 안고 있습니다. 톨스토이의 소설 『안나 카레니나』의 첫 문장 '행복한 가정은 모두 비슷하게 닮았지만 불행한 가정은 저마다의 이유로 불행하다.'는 말처럼 말입니다.

이렇게 다양한 고민을 듣고 나서 '이렇게 하셔야죠, 이 방법이 맞습니다'라고 확실한 답을 드리기가 힘듭니다. 옳고 그름을, 맞고 틀림을 명쾌하게 가릴 수 있는 문제가 거의 없거든요. 삶 자체가 본래 정답이 없는 것이기도 하지만 저 자신이 답에 확신을 가지지 못하는 사람이라서 더욱 그런 것 같습니다.

내담자를 대할 때마다 기도하는 마음으로 상담에 임합니다. 저의 도움으로 내담자가 좋아질 수도 있지만 잘못된 조언으로 악화될 가능성도 있기에 말에 무거운 책임을 느끼고 조심하려 합니다. 그럼에도 불구하고 진료를 마칠 때마다 부족하다는 마음이 듭니다.

'환자분에게 맞는 더 좋은 방법이 있지 않을까?', '차라리 그때 가만히 이야기를 더 들어드리는 것이 좋지 않았을까?' 하는 생각을 하며 어떻게 환자들을 도와야 할지 고민해왔고 지금도 하고 있습니다.

⋮

정신과 의사는 마라톤 페이스메이커와 비슷하다고 생각합니다. 인생이라는 마라톤을 지치지 않고 달릴 수 있게 도와주는 역할을 하는 사람이요. 너무 빠르게 달리면 지금 너무 빠르다는 것을 알려주고 페이스를 조절하여 천천히 달릴 수 있게 조언합니다. 너무 천천히 달리면 좀 더 빨리 달릴 수 있도록 이유나 동기를 함께 찾아보려 애쓰고요.

함께 달리면서 뿌듯한 순간들이 찾아오기도 합니다.

"선생님과 이야기하면서 내가 어떤 사람인지 알게 됐어요."

"나 자신을 잘 안다고 생각했는데 모르는 것이 많았네요."

"다른 사람들도 모두 나처럼 생각하며 살아가는 줄 알았는데 그렇지 않군요."

"이제 다른 사람들의 마음도 이해하게 됐어요."

"선생님이 지난번에 알려주신 대로 했더니 한결 편안해졌어요. 제가 걱정했던 일이 일어나지도 않았고요."

무엇보다 흐뭇할 때는 환자의 치료를 종결하는 순간입니다.

"치료가 영원히 끝나지 않을 것 같았는데 끝나네요."

⋮

"너무 오래 우울해서 우울하지 않은 감정이 무엇인지 몰랐는데 다른 사람들처럼 감정을 느끼면서 살 수 있게 됐어요."

뿌듯함, 기쁨, 아쉬움, 섭섭함 등 여러 마음이 동시에 드는 이 순간을 많은 분이 느끼셨으면 좋겠다는 마음에 책을 썼습니다. 꼭 상담이 아니어도 깨달아 나가는 과정을 알고 연습하면 달라지는 순간이 온다고 믿습니다. 유튜브나 팟캐스트에서 흘러가 버린 저의 말들이 누군가에게 더 쉽게 가닿을 수 있도록 글로 정리해 전달하고 싶었습니다. 말로 다 전달되지 않아 아쉬웠던 마음을 글로 전하고 싶기도 했고요.

보통 정신건강의학과 전문의라고 하면 스트레스 관리도 잘하고 대인관계도 원만하며 아이도 이상적으로 잘 키울 것이라는 선입견이 있습니다. 그러나 실상은 그렇지 않습니다. 여전히 제가 왜 힘든지 잘 모를 때가 많습니다. 지난주에도 스트레스로 폭식을 한 뒤 내가 무엇 때문에 힘들었는지를 나중에 알아차렸어요. 친구들과 어느 정도의 거리를 유지해야 하는지도 고민이고, 병원과 직원 관리 역시 머리가 아픕니다. 아이 키우는 일도 쉽지 않습니다. 중요한 약속을 깜박하거나 일을 미루는 버릇 역시 여전한 숙제입니다.

이 책에는 저를 포함한 여러 사람들의 사연이 함께 녹아 있습니다. 상담 내용은 비밀을 유지하는 것이 중요하기에 신상 정보나 특정될 수 있는 내용들을 지우기 위해 여러 사연을 합치기도 했는데, 하나의 주제로 다수가 비슷한 고민을 하고 있기에 가능했습니다. 이 책을 읽으며 이런 고민들을 나만 하는 것이 아니라 많은 사람이 하고 있다는 것을 알아주셨으면 합니다. 정신건강의학과 의사나 심리상담사처럼 정신건강을 전문으로 다루고 있는 사람들 역시 마찬가지입니다. 그래서 제 이야기도 함께 담아보려고 노력했고요.

정신건강의학과 의사를 하면서 이전과 가장 달라진 것은 나 자신을 스스로 많이 받아들였다는 점입니다. 이런 질문을 종종 받습니다. “힘든 상황에도 어떻게 긍정적으로 생각할 수 있으세요? 타고난 건가요, 아니면 배워서 얻은 건가요?”

타고난 것은 아닙니다. 여전히 잘되지 않을 때가 많지만 저의 부족함을 받아들이며 덜 자책할 수 있는 것은 내가 어떤 사람인지 알고, 내가 할 수 있는 능력에도 한계가 있음을 받아들이려는 연습 덕분입니다.

지치지 않고 마라톤을 완주하려면 우선 자신을 알아야 합니다. 이 책이 나를 알고 이해하며 받아들여 삶이라는 마라톤을 즐겁게 달리는 데 도움이 되었으면 좋겠습니다.

2023년 여름

정신건강의학과 전문의 허규형

김지용 정신건강의학과 전문의 pick 〈 잔잔하고 부드러운 위로에 평온을 얻었어요 〉

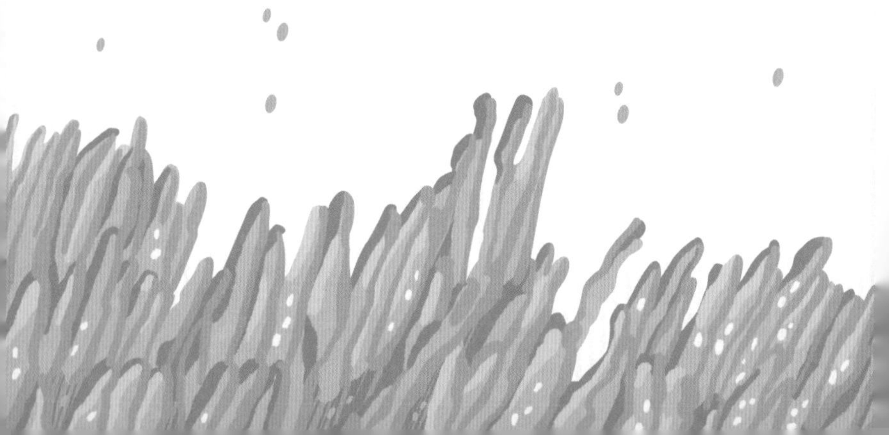

Part 2. MBTI만으로는 나를 다 말할 수 없어서 성격 유형 검사

정진아 출판 마케터 pick — 육아에 지쳐 아이가 밉기도 했는데 그 괴로움을 내려놓을 수 있게 됐어요

김태형 밀리의 서재 출간사업본부 본부장 pick — 제목에서 일단 공감, 읽으면서 더 공감했어요

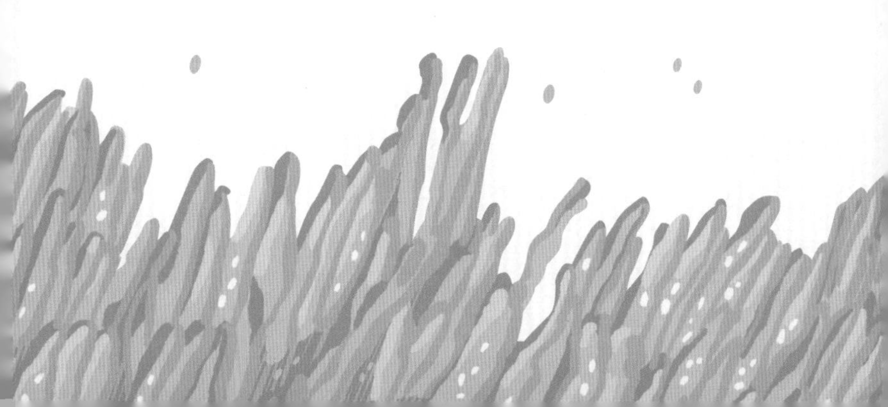

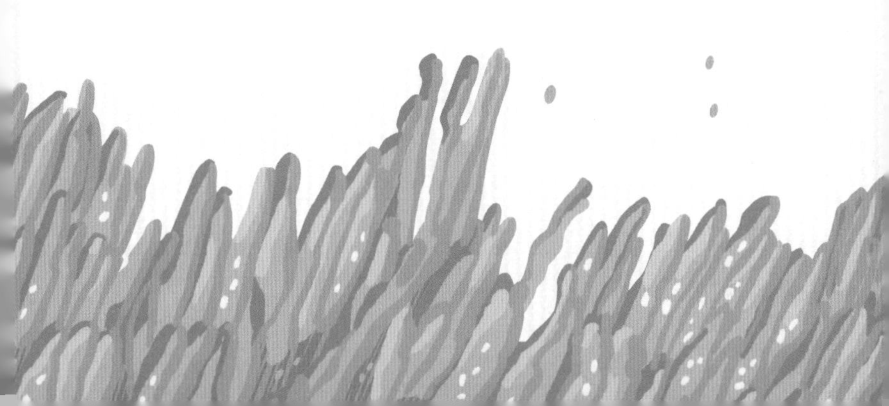

Part 1.

내 마음은 나도 몰라요

감정과 기분

혹시 제가 ADHD 아닐까요?
: 주의력과 집중력

자신이 ADHD가 아닌지 확인해보고 싶다는 분들이 종종 내원한다. 지영 씨도 그랬다. 그는 업무를 할 때 잔실수가 많은 데다가 종종 지시받은 내용을 깜박깜박 잊어버린다며 걱정이 깊었다.

'주의력 결핍에 의한 과잉행동장애ADHD, Attention Deficit Hyperactivity Disorder'는 주로 아동기에 발견되는 질환이다. 아이들은 대부분 산만하고 활동적이지만, 또래보다 유난히 산만하거나 주의력이 떨어지고, 에너지가 넘쳐 가만히 있지 못하고 충동성이 지나쳐 일상생활에까지 지장을 초래할 정도라면 ADHD로 진단한다.

과잉행동장애를 가진 상당수의 아동은 자라면서 뇌가 발달함에 따라 증상이 좋아지기도 하는데 일부는 청소년과 성인이 되어서도 증상이 남는다. 즉, 자라면서 좋아지지 않고 일부 증상이 남아 생활하는 데 어려움을 겪는 것이 성인 ADHD이다. 그래서 성인 ADHD를 진단할 때 어렸을 때부터 증상이 있었는지를 확인하는 게 중요하다.

성인 ADHD 증상을 걱정하는 지영 씨에게 어릴 때도 비슷한 증상이 있었는지를 물었다. 그는 오히려 어렸을 때는 집중력에 큰 문제가 없었다고 했다. 물건을 잃어버리는 일도 드물었고 학습 준비물 등을 챙기는 것도 잘했으며 학교 수업도 탈 없이 수행해서 평균 이상의 성적을 유지했다고 한다. 중요한 시험을 볼 때면 결과에 대한 걱정 때문에 배탈이 나곤 했지만, 대체로 학교생활에 잘 적응했던 평범한 학생이었단다.

그렇다면 전혀 산만하지 않고, 돌출행동 또한 하지 않았던 지영 씨가 왜 자신에게 ADHD 증상이 있는지 의심하게 되었을까? 지영 씨는 현재 회사의 자금을 관리하는 일을 맡고 있는데, 세

심하고 성실한 성격이지만 작은 실수도 큰 문제가 될 수 있는 자신의 업무에 큰 압박감을 느끼고 있었다. 하지만 실제로 지영 씨가 업무를 수행하면서 실수를 한 적은 거의 없었다. 그런데 언제부턴가 다른 사람이 업무 처리를 실수해서 상사에게 지적받는 모습을 보면 마치 자신에게 불호령이 떨어지는 것처럼 크게 긴장하며 온몸이 경직됐다는 것이다.

지영 씨는 진료실에서도 주위를 둘러보며 끊임없이 나를 걱정했다. 병원은 환자를 검사하고 진단해서 약을 처방받는 곳으로 알고 있는데 이런 개인적인 업무 내용이나 걱정거리를 이야기해도 되는지 몇 번이나 물으며 확인했다. 상담을 마칠 때쯤 나는 지영 씨에게 ADHD의 가능성은 높지 않다고 설명했다. 지영 씨는 잘못하면 안 된다는 걱정 때문에 집중력이 떨어진 것이기 때문이다.

그의 부모님은 어렸을 때부터 동생과 비교하며 네가 언니니까 잘해야 한다며 다그쳤다고 한다. 동생이 잘못해도 언니라서 동생 대신 호되게 혼나는 일이 잦았던 그는 성인이 된 후 회사생활을 하면서도 다른 사람이 지적당하는 모습을 보면 마치 과거의 자신이 야단을 맞는 것처럼 식은땀을 흘렸던 것이다.

다른 사람의 잘못도 본인 잘못인 것만 같아 위축될 때는 자신이 원만하게 처리한 업무만을 생각하며 그날을 충실하게 보내는 것이 좋다. 그리고 무사히 하루를 잘 마무리한 스스로를 칭찬해보자. 지영 씨는 자신을 이해하기 시작하면서 점차 불안이 조절되었고, 자연스레 증상도 호전되었다. 주변 사람들과의 관계가 편안해진 것도 큰 소득이었다.

집중력과 주의력은 언뜻 비슷해 보이지만 다른 개념이다. 집중력은 어떠한 것에 몰두하는 능력을 뜻하며, 주의력은 어떠한 것에 집중함과 동시에 필요 없는 자극은 무시하는 인지기능을 뜻한다. 컴퓨터 게임이나 퍼즐 맞추기 등과 같이 관심이 높은 한 가지 일에 몰두하는 능력이 집중력이라면, 주의력은 정신을 쏟아야 할 집중력을 잘 분배하는 능력에 해당한다.

단체 여행을 하다 보면 산만한 구성원들에게 리더가 손뼉을 두세 번 치게 하여 주의를 환기시키고 집중을 유도한 후 자신의 의사를 전달하곤 한다. 이렇게 필요 없는 주변을 정리하여 필요한 대상에게 주의를 기울이게 하는 능력이 주의력이라고 이해하면 쉽다. 집중을 조절하는 능력도 크게 보면 주의력에 포함되기 때문에 주의와 집중을 혼용해서 쓰기도 한다.

재미있는 사실은 좋아하는 일에는 주의력을 기울이지 않아도 저절로 집중이 잘 된다는 것이다. 중요한 책을 봐야 하는데 주변에 들리는 소리에 신경이 쓰여 집중할 수 없다면 그 책은 분명 재미없는 책일 확률이 높다. ADHD를 진단받은 사람도 게임이나 만화책 등 좋아하는 것을 할 때는 반나절을 꼼짝하지 않고 몰두하기도 한다. 이렇게 좋아하는 것에 과몰입하는 것만으로 ADHD를 진단하지는 않지만 집중력 조절에 어려움이 있다는 증거로 참고할 만하다.

운동 능력이나 예술적 감각과 같이 집중력 또한 타고나기를 높은 사람이 있다. 하지만 근육을 계속 쓰지 않으면 근력이 떨어지는 것처럼 집중력도 스트레스, 술, 부족한 수면 등의 이유로 그 능력이 현저히 떨어질 수 있다. 그래서 집중력 저하 문제로 ADHD를 의심하며 내원하는 분 중에 ADHD가 아닌 불안장애나 우울장애가 그 원인인 경우가 많다.

실제로 집중력 저하 증상은 우울증을 진단하는 중요한 기준 중 하나다. 하루 종일 우울하거나 어떤 일에서도 흥미를 느끼지 못할 만큼 뇌 기능이 저하됐을 때, 뇌의 주요 기능에 속하는 집중력도 떨어지게 된다. 매사에 걱정이 많은 범불안장애를 진단할 때도 집중력 저하 증상을 진단 기준으로 삼는다.

집중이 안 돼서 힘들다는 내담자 중에는 지영 씨처럼 집중을 잘해야 한다는 강박을 가진 사람들이 많다. 실제로 주의집중력과 관련해 문제가 일어나지 않았거나 아주 드물게 문제가 발생하는데도 객관적인 판단 기준이 흐트러진 탓에 스스로를 채찍질하곤 한다.

주의집중력은 좋아하는 것을 하거나 목표가 명확할 때 높아진다. 반면 실수를 없애기 위한 집중력 훈련은 실패로 돌아가는 경우가 많다. 좋아하는 것을 이루기 위한 목표가 아니라 싫어하는 것을 줄이기 위한 목표는 동기가 유발되기 어렵기 때문이다. 달성했다는 성취감을 느끼기 힘들고, 실수가 곧 실패가 되기에 집중을 꾸준히 유지하는 것도 쉽지 않다. 때문에 주의집중력을 높이기 위해서는 힘든 일에서도 좋아하는 점을 찾거나 목표를 구체적으로 세워보는 것을 추천한다.

ADHD라면 약물치료와 인지행동치료를 통해 효과적으로 증상을 조절할 수 있다. 잡생각들이 사라지고 머리가 맑아졌다며 왜 진작 치료를 시작하지 않았을까 하고 후회하는 내담자들을 자주 만난다. 그러나 우울함이나 불안 등의 이유로 집중력이 떨어졌다면 다친 근육을 재활하듯 원인을 찾아 교정하는 것이 먼저다. 요즘 당신의 일상은 어떠한가? 머리와 마음이 소란하지는 않은지, 심신이 보내는 신호에 귀를 기울여보자.

⋮

다른 사람의 잘못도 본인 잘못인 것만 같아 위축될 때는

자신이 원만하게 처리한 업무만을 생각하며

그날을 충실하게 보내는 것이 좋다.

그리고 무사히 하루를 잘 마무리한 스스로를 칭찬해보자.

⋮

제 감정을 저도 잘 모르겠어요 : 감정

"그때 기분이 어떠셨나요?"

"어떤 감정이 들었지요?"

진료하면서 자주 던지는 질문 중 하나다. 이때 많은 내담자가 "잘 모르겠어요."라고 대답한다. 혹은 애매하게 괜찮았다거나 별로였다는 식으로 뭉뚱그려 대답하는 경우가 대부분이다.

요즘은 자신의 감정을 명확하게 표현하는 사람이 드물다. "이러이러한 생각이 들었어요."라며 감정이 아닌 생각을 이야기하기도 한다. 일부는 대답 대신 "어떤 기분이 들어야 하는데요?"라거나 "뭐라고 답해야 하나요?"라고 반문하기도 한다. 질문을 질문으로 되받아 대답을 피하고 싶어 하는 마음이 느껴진다.

성민 씨도 면담을 시작하며 기분이나 감정을 물어보면 매번 "괜찮았던 것 같아요."처럼 명확하지 않은 대답을 했다. 성민 씨는 소화불량이나 두통 등의 신체증상을 주로 호소하곤 했는데, 혹시 스트레스를 받는 일이 있느냐고 물으면 특별히 없다고 도리질했다. 다른 사람이 받는 만큼의 스트레스를 받으며 사는 것 같다면서 특별히 말할 만한 일은 없다는 것이 그의 한결같은 답이었다. 속내를 드러내길 힘들어하는 그는 개인적인 일을 털어놓는 것을 몹시 주저했다. 감정을 속 시원히 드러낸 적이 없었고 어쩌다 속마음을 꺼내더라도 그때와 관련된 감정을 물어보면 "별 감정 없었어요." 정도로 두루뭉술하게 넘어가기 일쑤였다.

감정은 어떤 현상이나 일 그리고 사물 등에 대하여 느끼고 일어나는 마음 상태다. 감정의 영어 단어인 'feeling(느끼다)'의 어원은 중세 영어 동사 'felen'으로, 만져서 촉감으로 감지함을 뜻한다. 'felen'의 의미는 확장되어, 만져서 느껴지는 것만이 아닌 모든 감각작용을 통해 감지한다는 뜻으로 널리 쓰이게 됐다.

감정을 느끼거나 표현을 하는 일이 어려운 사람들에게 적용되는 '감정표현 불능증'이라는 용어가 있다. '감정을 나타낼 말이 없다.' 정도의 뜻인데 이 상태에 있는 사람은 자신의 감정을 잘 모르고, 표현하는 데 어려움이 있으며 그러다 보니 다른 사람의 감정도 잘 알아차리지 못한다.

놀이공원 데이트를 감정표현 불능증에 빗대어 보자. 평범한 사람은 놀이기구를 탄 후 가슴이 뛰고 얼굴이 달아오르면 '내가 좋은 사람과 놀이기구를 타서 들뜨고 흥분되는구나.'로 생각한다. 하지만 감정표현 불능증을 가진 사람은 '내가 왜 이렇게 가슴이 뛰는 걸까? 혹시 심장에 이상이 생겼나?' 하는 식으로 엉뚱한 의심을 하게 된다.

감정표현 불능증 자체가 병이라기보다는 여러 질환에서 증상으로 나타날 수 있는데 흔히 성격적 특성의 일부로 드러난다. 예전엔 '신체화장애'라고 불렀던 정신질환인 '신체증상장애'를 겪는 사람에게 이러한 감정표현 불능증이 나타나는 경우가 많다. 자신의 감정을 느끼지 못하고 표현하지 못하다 보니 어딘가 아픈 신체증상으로 나타나게 되는 것이다. 감정을 잘 인식하지 못하기 때문에 감정적으로 흥분된 상태에서 그 감정을 알아차리기보다는 감정과 동반해서 나타나는 신체감각에만 주목하게 되는 것이 이 증상의 특징이다. 놀이기구를 탄 후 가슴이 뛰는 것을 심장에 이상이 생긴 것으로 잘못 해석한 것처럼, 어떤 사건을 평가할 때 감정적인 측면이 배제된 채 사실에만 근거하는 경향이 강하다.

그래서 어떤 측면에선 합리적인 사람으로 보이기도 하지만 자신의 감정을 상대에게 설명하고 상대방의 감정을 이해하는 데 어려움이 있기 때문에 결국 다른 사람들에게 공감을 잘하지 못하는 무미건조한 사람이라는 평가를 받게 된다.

감정표현 불능증을 가진 사람을 면담해보면 어떤 사건을 설명할 때 감정적인 요소를 빠뜨린 채 단조로운 디테일에 대해서만 이야기하기 때문에 직관력과 공감 능력이 결여되어 있다는 느낌을 받는다. 증상자 중 일부는 자신의 문제에 대해 자각하고, 본인을 마치 로봇 같다고 표현하기도 한다.

스트레스받는 일이 특별히 없었다던 성민 씨에게는 어려서 부모님이 이혼하고 친척 집에 얹혀 지내며 눈칫밥을 먹었던 아픈 과거가 있었다. 어릴 때 힘들고 외로운 환경 탓에 누구에게도 마음을 터놓고 표현하기 어려웠고 무책임한 부모를 원망하며 성장했다. 그런데 성민 씨가 성인이 되자 병든 아버지가 아들에게 의지하고자 찾아왔다고 한다. 어린 아들을 방치했던 아버지를 부양해야 하는 상황이 되자 성민 씨는 분노와 책임감의 양가감정에 시달리게 됐다.

어린 시절부터 감정을 인식하고 표현하는 연습을 할 기회가 부족했던 그는 감정을 억누르기만 하고 지내다 감정표현 불능증이 생기게 됐다. 성민 씨는 상담을 거듭하면서 소화불량이나 두통과 같은 신체증상이 스트레스 상황에 따라 달라지는 것을 인지하고는 조금씩 감정을 표현하기 시작했다.

내 감정을 조절하기 위해서는 감정을 명확하게 알고 표현할 줄 알아야 한다. 남보다 다소 무딘 자신의 감정을 섬세하게 알고 표현하려면 어떻게 해야 할까? 먼저 감정에 이름을 붙이는 훈련을 해보자. 감정의 종류를 검색해보거나 감정의 바퀴(심리학자 로버트 플루치크가 만든 '분노, 공포, 슬픔, 혐오, 놀람, 기대, 신뢰, 기쁨'의 8가지 기본 감정 이론) 혹은 무드 미터(매일 자신이 느끼는 감정을 인식하고 측정하기 위해 만들어진 도구)를 찾아보는 것도 좋다. 내가 정확히 표현하지 못했던 감정들에 이름을 붙이는 것만으로도 마음속이 정리되는 느낌을 받을 수 있을 것이다. 자기 감정을 알았지만 막상 입 밖으로 표현하는 데 힘이 든다면 자신이 편안하다고 느끼는 사람에게 시도해보자. 그것도 어렵다면 반려동물이나 인형에게 표현하는 것도 좋다.

⋮

내가 정확히 표현하지 못했던 감정들에

이름을 붙이는 것만으로도

마음속이 정리되는 느낌을 받을 수 있을 것이다.

⋮

늘 우울하기만 한 건 아닌데 우울증 맞나요?
: 기분

누구나 가끔은 우울하다. 누군가의 우울하다는 푸념에 '바쁘면 우울할 짬이 있겠냐.'며 대수롭지 않다는 듯 비난하는 사람마저도 우울에서 자유로울 수 없다. 흥미롭게도 우울한 감정은 사람한테만 생기는 게 아니다. 반려동물에게도 나타나는데, 특히 고양이는 우울함을 자주 느낀다고 한다.

우울감이 심할 때는 항우울제를 복용해야 하지만, 가벼운 우울감은 크게 걱정할 문제가 아니다. 시간이 지남에 따라 마음이 회복되어 다시 평범한 일상을 보낼 수 있다면 이따금 스쳐 지나가는 마음의 감기로 흘려보낼 수 있다. 그러나 우울의 늪에 갇혀 벗어날 수 없다면 반드시 병원을 찾아 마음의 감기를 치료해야 한다. 저절로 나을 거라고 생각하며 방치한 감기가 폐렴으로 발전해 더 크고 고통스러운 병이 될 수 있기 때문이다.

우울증을 앓는 사람들은 대개 비슷한 감정을 느끼지만 개인마다 증상은 다 다르다. 우울증으로 진료실을 찾은 민서 씨의 질문은 어두웠다. 언제나 너무 우울해서 도대체 우울하지 않다는 것이 어떤 기분인지를 모르겠다며 '태어나서 한 번도 우울하지 않은 적이 없었던 것 같다.'고 했다. 꾸준히 병원을 찾아 치료를 받아왔지만 증세는 호전될 기미가 없었다며, 이제 어떤 방법으로도 우울한 기분이 나아질 것 같지 않다고 괴로워했다.

항상 우울했던 민서 씨와는 달리 지현 씨는 갑자기 우울증이 찾아온 케이스다. 지현 씨는 언제나 쾌활한 사람이었다. 어느 장소에서든 분위기 메이커로 주위를 환하게 밝히던 그는 갑자기 한 달 전부터 아무것도 하고 싶지 않은 무기력한 감정에 빠졌다고 한다. 워낙 달라진 지현 씨의 모습에 동료와 친지들이 모두 걱정하며 병원에 가보기를 권했다. 주위의 간곡한 권유로 내원한 지현 씨는 무엇보다 자신의 달라진 모습을 스스로 받아들이기 어려워 힘들어하고 있었다.

진료실을 찾은 직장인 준영 씨는 직장에서 맡은 일을 잘 처리했고 동료들과의 관계도 원만했다. 그러나 업무를 마치고 나면 기분이 돌변한다고 했다. 퇴근하는 길에 괜히 눈물이 났고, 집에 돌아와 방에 누우면 살고 싶지 않다는 생각이 몰려온다고 했다.

이외에도 우울증으로 힘들어하는 많은 사람을 매일 만난다. 그런데 모두들 우울감을 호소하고 있지만 저마다 모습이 달라서 이렇게 각기 다른 증상을 단순히 우울증이라는 병명으로 뭉뚱그려 진단하는 게 맞는지 고민하곤 한다.

보통 감정을 날씨에, 기분은 계절이나 기후에 비유한다. 하루에도 몇 번씩 바뀔 수 있는 것이 날씨다. 같은 날에도 맑은 하늘과 사납고 흐린 하늘이 교차하는 것처럼 우리의 감정도 날씨처럼 쉽게 움직인다. 이에 비해 계절은 대체적인 특성이 있다. 겨울을 예로 들면 어쩌다 겨울답지 않게 포근한 날이 있긴 하지만, 겨울은 전반적으로 춥고 건조하며 매서운 칼바람이 분다. 기분도 마찬가지다. 일상에서 느끼는 우울감과 우울증에서의 우울을 날씨와 계절의 차이에 빗대면 쉽게 이해할 수 있다.

우울증을 떠올리며 '기분이 우울'한 것에 의미를 두기가 쉽지만, 우울할 만한 일을 당했을 때 느끼는 우울은 지극히 정상적인 반응이다. 우울증은 흔히 느끼는 우울한 기분 외에 다양한 진단 기준이 있다. 정신건강의학과에서 진단하는 우울증의 대표적인 유형은 '주요우울장애'다. 2주 이상 거의 매일 대부분의 시간 동안 우울한 기분으로 지내거나 일상생활에서 흥미나 즐거움이 감소하는 것이 핵심 증상이다. 또한 체중, 식욕, 수면에 변화가 생기며 피로감과 무기력이 증가하고 집중력이 저하된다. 약 3%에서 5% 정도는 평생 동안 한 번 이상 우울증을 경험하며, 여성이 더 잘 걸리는 것으로 조사된다.

그런데 '주요우울장애' 환자라 해서 항상 우울한 것만은 아니다. 추운 겨울에도 가끔 따뜻한 날이 찾아오는 것처럼 간간이 웃으며 즐거워할 때도 있다. 때문에 주요우울장애자가 종종 웃음을 보여준다고 해서 우울증이 아닌 것으로 오판하면 안 된다.

내담자 중에서 실제로 우울증 진단을 받으면, 자신은 늘 우울하지 않고 가끔 즐거울 때도 있다며 진단 결과를 의심하는 경우도 있다. 게다가 지인으로부터 평소에 웃는 걸로 보아 우울증이 아닌 것 같다는 말을 듣는 내담자도 있다. 전부 우울증에 대한 이해가 부족하여 생긴 오해다. 우울증 진단을 받은 사람의 반 정도는 우울감이 없다며 자신의 증상을 부인하거나 실제로 우울감 자체를 느끼지 못하기도 한다.

우울증이나 조울증과 같은 기분장애를 가지고 있는 사람에게는 감정의 변화, 생각의 변화, 행동의 변화가 나타난다. 우울증에 걸리면 자신을 부정적으로 바라보고 점점 자존감이 낮아져 자주 자책하게 된다. 과거에 매달려 자꾸만 후회하다 보면 세상을 믿지 않게 되며 미래에 대한 희망도 사라져버린다. 이러한 생각이 쌓이다 보면 행동이 위축되고 사람을 만나기도 어려워지고, 새로운 것을 시도하기가 힘들어진다.

많은 사람이 우울증에 걸려서 이와 같은 변화들이 나타나는 것으로 오인하지만, 실제 순서는 그 반대다. 뇌에 편도체라는 부위가 활성화하면 두려움, 슬픔, 고통 등의 감정을 쉽게 느끼게 되고, 전두엽의 기능이 저하되어 감정과 생각을 잘 조절할 수 없게 된다. 그래서 힘든 감정이나 생각이 한 번 올라오면 그 상태가 더 오래 지속되는 것이다. 이렇게 뇌의 기능이 달라져서 나타나는 많은 변화를 우울증이라고 진단한다. 도대체 이것이 무슨 차이냐고 할 수도 있겠지만, 우울증에 걸려 감정에 변화가 나타나는 것으로 이해하는 것과 뇌의 기능이 떨어져서 감정에 변화가 나타나는 것으로 이해하는 것에는 큰 차이가 있다. 그래서 우울증으로 힘들어하는 사람에게 의지나 노력으로 이겨내라는 말은 하지 않아야 한다. 의지와 의욕이 떨어져서 스스로 이겨낼 수 없는 상태를 우울증으로 진단하기 때문이다.

또 다른 기분장애인 조울증은 기분이 자주 바뀌고 그 변화의 폭도 크다. 지나치게 기분이 좋고 흥분된 상태인 조증과 우울하고 억눌린 상태인 우울증이 번갈아가며 나타나거나 주기적으로 나타나기에 양극성장애라고도 부른다.

조증일 때는 우울증과 달리 기분이 들떠 끓어오르는 자신감을 과시한다. 에너지가 넘쳐 잠을 자지 않아도 피곤함을 느끼지 않는 기간이 며칠 이상 유지될 때 조증으로 진단하는데, 조증일 때도 우울증처럼 감정, 생각, 행동에 변화가 나타난다. 뭐든 이뤄낼 수 있을 것 같은 생각에 계속해서 계획을 세우고 갑자기 돈을 많이 쓰거나 사람들을 많이 만나러 가는 등 마치 세르반테스 소설의 주인공 돈키호테를 연상케 한다.

조증과 우울증이 번갈아 일어나는 조울증과 관련해 기저에 있는 우울을 방어하기 위한 수단으로 조증 시기를 겪는다는 정

·
·
·
·
·

많은 사람이 우울증에 걸려서

이와 같은 변화들이 나타나는 것으로 오인하지만,

실제 순서는 그 반대다.

…

그래서 우울증으로 힘들어하는 사람에게

의지나 노력으로 이겨내라는 말은 하지 않아야 한다.

·
·
·
·
·

신분석적 해석이 있다. 실제로 조증 시기 직전에 우울증 시기를 겪는 환자들이 많다. 조증이라는 방어기제를 통해 어려움을 다 이겨낼 수 있는 전능감을 느끼는 것이다. 숨어 있는 스트레스 요인들을 찾아보고 교정하는 데 의미 있는 분석이다.

우울증에 걸린 사람들은 무기력감이나 우울, 슬픔 등의 기분을 없애려 노력한다. 그러나 평정을 찾으려는 마음이 오히려 치료에 방해가 될 수도 있는 법이다. 부정적인 감정 없이 평안한 상태를 유지하는 것은 우울증에 걸리지 않은 사람이라도 어려운 일이 아닌가.

단순하고 일시적인 감정의 변화는 애써 환기할 수 있지만 지속되어온 기분을 쉽게 바꾸기는 어렵다. 더구나 기분장애로 진단한 기분을 변화시키는 것은 이미 생각과 행동에 변화가 나타난 상태인지라 더더욱 어렵다. 기분이라는 것을, 그리고 기분의 변화를 이해하자. 그 이해를 바탕으로 스스로 힘이 든다고 느낄 때 병원을 찾는 것은 지극히 자연스럽고 또 필요한 일이다.

"세상 모든 나쁜 일이 나로 인해 틀어진 것은 아니니까요."

지현 선생님, 상담 후에 제가 좀 달라진 것 같아요.

규형 어떤 부분이요?

지현 그간 습관처럼 모든 일이 다 내 탓인 양 자책하며 살았는데요. 무조건 자책하는 습관에서 이제는 서서히 벗어나는 중인 것 같아요. 상대방의 지적을 받으면 별것 아닌 내용에도 평가받는 느낌이 들어 움츠러들었던 마음이 완전히 사라진 건 아니지만, "제가 모두 잘못한 것은 아니잖아요." 하며 억울한 상황에 놓이면 변명할 정도까지 왔어요.

규형 많이 발전했네요!

지현 남편과의 관계나 부모님과의 관계에도 변화가 생겼어요. 가족들이 저를 답답하다면서 나무랄 때마다 그들은 정상이고 내가 비정상이라서 이런 결과가 생겼다고 생각하는 일이 확실히 줄었어요. 모든 일이 무조건 내 잘못은 아니라고 생각하니까 상대방과 의견이 다를 때 내 의견도 표현하게 됐어요. 그런데 이렇게 계속 제 이야기만 하다가 나쁜 사람 되는 건 아닐까요?

규형 전혀 아니에요. 지현 씨 성격에 본인 주장만 하라고 말씀드려도 그렇게 못하실 겁니다.

지현 그러면 계속 이렇게 해도 괜찮을까요?

규형 네. 그럼요. 지현 씨는 긍정적으로 달라지고 있어요. 그리고 앞으로 더 달라질 것이라고 저는 믿어요. 지금처럼 자책을 덜고 자기 목소리를 조금씩 더 내보세요.

목소리가 떨리는 것을 멈출 수가 없어요
: 불안

회사생활을 늘 성실하게 해온 수연 씨는 관리자가 되었다. 기쁘기만 할 줄 알았는데 직원들 앞에서 공지사항을 말로 전해야 한다는 것이 떠올라 얼굴이 어두워졌다.

수연 씨는 아주 어렸을 때부터 사람들 앞에서 이야기할 때 공연히 얼굴이 달아오르고 숨이 가빠졌다. 목소리가 떨려 숨 쉬기조차 고통스러운 그녀에게 매일 아침 직원들에게 공지사항을 전하는 일은 공포 그 자체였다. 수연 씨의 전임 관리자가 침착하게 말을 잘하던 사람이라 더욱 비교됐다.

직원들이 자신의 태도를 보고 비웃으며 관리자로서의 권위를 인정해주지 않을까 봐 걱정에 시달리던 수연 씨는 이 문제를 상담하기 위해 진료실을 찾아왔다. 걱정으로 얼굴이 달아오른 수연 씨에게 원하는 것을 물어보니 떨리는 목소리로 세 가지 소원을 말했다. "말할 때 제발 떨지 않았으면 좋겠어요. 그리고 말하는 도중 침 삼키는 소리가 안 들렸으면 좋겠어요. 마지막으로 사람들 앞에서 얼굴이 빨개지지 않았으면 좋겠네요."

수연 씨가 안고 있는 불안장애는 만성적으로 걱정이나 근심이 신체적 또는 정신적 증상으로 나타나는 질환이다. 재채기와 사랑의 감정은 도저히 감출 수 없다는 말처럼 불안한 느낌 또한 억제하기 힘들다. 걱정과 불안의 대상이 구체적인 것이 아니라 무슨 일이 일어날 것만 같은 근거 없는 느낌인 경우도 많다.

불안감이 찾아와 긴장하게 되면 자율신경계 중 교감신경이 예민해진다. 교감신경이 흥분하여 아드레날린이 분비되면 심장박동수가 증가한다. 혈압이 상승하고 동공이 확대되며 땀이 흐르고 살갗의 털이 곤두선다. 인구의 25% 정도가 종종 불안장애를 겪는데, 여성이 남성보다 두 배 정도 더 많이 겪는다고 한다.

⋮

이러한 불안장애의 치료법으로 널리 쓰이는 심리요법이 역설 의도paradoxical intention 기법이다. 이는 지옥과 같은 나치의 강제 수용소에서도 삶의 의미를 포기하지 않고 인간 존엄의 승리를 보여준 자전적 체험수기 『죽음의 수용소에서』로 널리 알려진 오스트리아의 정신과 의사 빅터 프랭클이 개발했다. '역설 의도 기법'은 환자가 두려워하는 일을 오히려 더 많이 하도록 자극해서 문제를 해결할 수 있도록 돕는 방법이다. 환자가 불안을 유발하는 상황을 회피하지 않고 정면으로 대결하여 극복하도록 하는 원리다.

빅터 프랭클의 역설 의도 기법에 단초가 된 사건은 오스트리아 한 고등학교의 연극 공연이었다. 그 연극의 등장인물 가운데 한 학생이 심하게 말을 더듬었다고 한다. 마침 연극의 캐릭터 중 말 더듬는 배역이 있었으므로 자연스레 말 더듬는 배역이 불안장애를 앓는 그 학생에게 돌아갔다. 학생은 연극에 출연하고 싶은 욕심에 그 배역을 맡기로 했다. 그런데 리허설이 시작되자 신기하게도 말을 더듬지 않았다. 과장하여 말을 더듬는 연기를 하려고 노력하면 할수록 평소의 말 더듬던 버릇이 사라진 것이다.

너무나 정확하고 명확한 학생의 발음에 당황한 연출 선생이

제발 말을 더듬으라고 채근했지만 아무리 애를 써도 말이 더듬어지지 않았다. 결국 학생은 말 더듬는 역할을 포기해야만 했다. 그 뒤부터 그의 말더듬증은 말끔히 치유됐다.

빅터 프랭클은 이 이야기를 듣고 이러한 역설적 방법을 그의 환자들에게 적용해보기로 했다. 첫 번째 대상으로 공황 발작 환자들을 택했는데 그들에게 더욱 공황발작을 일으키는 상황을 계획적으로 연출했다. 그 결과 많은 환자들이 고등학교 연극반의 말더듬증을 앓는 학생과 같은 반응을 보였고 강박증과 공황발작에서 벗어나게 됐다.

첫 번째 역설 심리 치료에 고무된 빅터 프랭클은 이 기법을 의도적 역설이라 이름 짓고, 불면증이나 불안증 환자 등에게도 적용했다. 불면증 심하게 앓고 있는 환자들에게 절대로 잠을 자지 말라고 지시했는데, 환자들은 의사인 프랭클의 말대로 잠을 자지 않으려 노력했으나 깨어 있으려 하니 도리어 잠을 참을 수 없었다. 환자에게 증상과 싸우는 것을 멈추게 한 다음 오히려 증상을 강화시키는 행동을 하도록 하면 증상은 확실히 가벼워지거나 사라지게 된다.

땀 흘리는 것에 공포증이 있는 한 젊은 의사가 빅터 프랭클의 명성을 듣고 그를 찾아갔다. 땀을 많이 흘릴 것이라고 생각할 때마다 불안감이 치밀어 땀을 많이 흘리는 상태였는데, 빅터 프랭클은 땀이 날 것 같은 상황이 되면 '내가 얼마나 땀을 많이 흘릴 수 있는지 남들에게 보여주겠다.'는 생각으로 문제를 해결하라고 충고했다. 땀 공포증으로 4년 동안 고생했던 환자는 땀을 참으려고 애쓰는 대신 땀 자랑을 택한 뒤 일주일 만에 병에서 해방됐다고 한다.

진료실을 찾은 환자들에게 역설 의도 기법을 자주 적용하는데, 수연 씨에게도 적용했다. "목소리가 떨릴까 봐 걱정하지 말고 오히려 더 있는 힘껏 목소리를 떨어 보세요." 나의 지시를 듣고 영문 모를 표정을 짓는 수연 씨에게 말했다.

"다른 사람이 떨면서 이야기하는 것을 보면 어떤 생각이 드나요?"

"그냥 저 사람이 긴장한다고 생각해요."

"혹시 그 모습을 보며 그를 무시하고 싶은 마음이 드셨나요?"

"아뇨, 전혀요."

"그렇습니다. 수연 씨의 생각과 마찬가지로 다른 사람 역시 긴장하며 떠는 모습만으로 수연 씨를 평가하지 않아요. 이미 지난 6개월간 관리자 업무를 큰 문제 없이 해내고 있고, 다른 협력체 직원들과도 원만한 관계를 유지하고 있는 것이 그 증거죠."

수연 씨가 부끄럽게 생각하는 침을 삼키는 것, 얼굴이 빨개지는 것도 다른 사람들은 잘 모른다는 말도 전해줬다.

"지금까지 저와 대화하면서 신체 변화가 있었나요?"

"침을 여러 번 삼켰고 얼굴도 빨개졌어요. 손은 지금 계속 떨려요."

"솔직히 수연 씨가 조금 긴장하신 것은 알겠는데 침을 삼키신 줄은 전혀 몰랐어요. 손 떠는 것도 보이지 않았고요."

믿기지 않는다며 수연 씨는 자신에겐 침 삼키는 소리가 크게 났는데 안 들렸냐고 물었다. 그러면 지금 침을 한번 크게 삼켜보라고 하자 수연 씨는 과장해서 크게 침을 삼켰다. 그러나 역시 침 삼키는 소리는 들리지 않았다. 다른 사람은 내가 생각하는 만큼 나의 행동에 관심이 없기 때문에 긴장해서 떨어도 괜찮다는 이야기를 다시 한번 일러주었다.

'떨어도 괜찮아. 그냥 힘껏 떨어 봐야지.' 하고 생각하면 훨씬 덜 떨린다. 말을 시작할 때 떨림이 있더라도 시간이 지나면서 잠잠해지게 된다. 그러나 떨지 말아야겠다고 생각하면서 떠는 것

⋮

다른 사람은 내가 생각하는 만큼
나의 행동에 관심이 없기 때문에
긴장해서 떨어도 괜찮다는 이야기를
다시 한번 일러주었다.

⋮

을 인지한 순간 다시 한번 불안이 크게 올라와 더 떨리는 악순환을 겪게 된다. 면담을 마무리하고 수연 씨에게 도움이 되는 약을 처방했다. 긴장되는 상황에 미리 복용하는 약은 교감신경 항진을 막아 두근대거나 떨리는 느낌을 현저히 줄여준다.

이처럼 수행 공포를 주 증상으로 내원하는 사람들을 만나면 유년 시절의 기억이 자연스럽게 떠오른다. 지금은 강연이나 방송을 익숙하게 소화하지만, 초등학교 1학년 때 교과서를 읽다가 떨려서 끝까지 읽지 못했던 기억이 있다. 그때 친구들의 놀리는 모습은 공포로 자리 잡았고, 그 후에도 떨면 안 된다는 생각을 많이 했지만 성공한 적이 없었다. 정신과 의사가 되어 수련을 받으면서도 많이 떨었다. 그런데 진료를 하며 내담자에게 떨어도 된다는 조언을 하면서 스스로 많이 나아졌다.

수연 씨가 일주일 만에 굉장히 편해진 모습으로 다시 내원했다. 약을 복용했던 것도 효과가 있었고 면담했던 것도 좋았다며 인사했다. 처음에는 역설 의도를 받아들이기 힘들었는데 가족들과 대화하고 다시 곱씹어보면서 생각을 바꿨다고 했다.

간절히 멈추고 싶지만 멈춰지지 않는 것이 무엇인지 떠올려 보자. 걱정, 실수, 눈물 등 많은 것들이 떠오를 것이다. 아무리 잡으려 해도 잡히지 않았다면 지금부터는 전과 다르게 있는 힘껏 걱정도 하고 실수도 하고 눈물도 흘려보자. 분명 변화하는 자신을 느끼게 될 것이다.

"살면서 발표 공포를
진짜 이겨낼 수 있을지 몰랐어요"

규형 안녕하세요, 요즘에 어떻게 지내셨어요? 원래 내원 예정일에서 한 달 정도 지났네요.

수연 지난번 상담 예약했던 날 갑자기 회식이 잡혔거든요. 그래서 병원에 오지 못했어요. 그런데 다음 날 약을 안 먹고도 회사에서 공지를 전할 때 무난히 잘 넘어갔어요. 목소리도 전처럼 떨리지 않았고요. 신기하게도 말끝을 얼버무리던 버릇까지 거의 사라졌거든요. 그래서 병원에 이제 가지 않아도 되겠다 싶어 남아 있던 상비약을 가끔 복용하며 지냈어요.

규형 그렇지 않아도 증상이 호전되어 약을 줄일 계획을 하고 있었는데요. 수연 씨는 계획보다 빨리 정규 약을 중단해도 될 것 같아요.

수연 그래도 되나요? 요즘은 가끔 대표, 임원들과 함께하는 회의 시간에만 상비약을 복용하고 참석하고 있어요. 처음 병원에 찾아왔을 때가 생각이 나네요. 그때 선생님께서 제게 떨리면 더 떨어 보라고 하셨잖아요. 그 말씀을 듣고 '이게 뭐지?' 싶어 병원 잘못 찾아온 줄 알았어요.

규형 이제 속마음을 말씀하시는 데도 전보다 편안함이 느껴지네요.

수연 지금도 여러 사람 앞에서 공지할 때 아예 긴장하지 않는 것은 아니에요. 그럴 때마다 선생님이 제게 자주 들려주신 이야기를 떠올리곤 해요. 어떻게든 될 것이란 말씀이요. 선생님께서 그 말 되게 자주 하시는 것 알고 계시죠?

규형 제가 그랬나요? 그런데 정말, 어떻게든 될 거예요.

도저히 화를 못 참겠어요
: 화와 분노

갑자기 울컥 치밀어 도저히 화를 참기 힘든 상황이 자주 일어난다면 흔히 분노조절장애라 일컫는 '간헐성 폭발장애'일 수 있다. 이 질환을 앓으면, 툭하면 이성을 잃고 분노하게 되며 자신의 격한 감정을 조절하지 못해 폭력으로 이어지기도 한다.

가깝게 지내는 친구에게도 갑자기 화를 내고 손이 나가게 된다는 민수 씨가 내원했다. 화가 조절되지 않아 자꾸 문제가 생긴다는 그는 자신을 제어하지 못하고 화를 표출하는 행동이 아무래도 분노조절장애가 아니겠느냐고 물었다. 민수 씨가 분노하는 상대는 사람만이 아니었다. 그는 본인이 정해둔 선이 명확한 성격이었다. 그렇다 보니 처리할 과제나 정해진 규칙에서 벗어나는 상황에도 참을 수 없이 화가 난다고 했다. 자신이 정한 일을 제대로 수행하지 못했을 경우엔 자책이나 반성을 넘어 본인을 향한 참기 힘든 분노가 폭발했다. 좀 더 구체적으로는 계획대로 일이 되지 않았을 때 짜증과 무기력 같은 부정적인 감정이 먼저 올라오고, 곧이어 그 감정을 느끼게 한 상황이나 사람 혹은 자신에게 분노를 느끼는 경우였다.

'분노'의 사전적 의미는 '분개하여 몹시 성을 내는 것'이다. 영어로는 좀 더 다양한 표현이 있다. 보통 화나는 상태를 가리키는 'anger', 자제심을 잃은 강한 분노를 가리키는 'rage', 특정한 대상을 향한 구체적인 증오인 'hatred', 정신이 온전치 못하다고 여겨질 정도로 격렬한 분노를 뜻하는 'fury' 등을 비롯해 놀랍게도 40여 개의 유의어가 있다.

일반적인 노여움을 뜻하는 'anger'는 위협, 도발이나 위해 등을 입었다고 느끼는 상황에서 저항하기 위해 생기는 부정적인 정서 상태다. 대인관계에서 상대가 나의 욕구를 좌절케 하거나 물리적·심리적으로 해를 끼쳤다고 판단했을 때 일시적으로 격렬하게 반응하여 일어나는 감정이라고 할 수 있다.

분노는 신체에 가장 즉각적으로 영향을 미치는 감정 반응이기도 하다. 일단 뇌의 부신 수질에서 아드레날린과 함께 분비되는 호르몬인 노르에피네프린의 농도가 증가하면서 교감신경에 작용해서, 심장이 빨리 뛰고 근 긴장도와 반응 속도가 올라간다. 이어서 공격적인 표정이나 자세가 자동으로 나타나는데, 한층 더 격해지면 말투에 분노가 드러나고 급기야 공격적 행동으로까지 이어지게 된다.

야생 상태의 원시 사회에서는 투쟁을 통해 맹수의 위험으로부터 살아남아 집단 서열의 우위를 점하게 하는 분노 반응이 생존을 위한 중요한 역할을 했다. 분노는 그만큼 종족의 보호와 안위에 꼭 필요한 공격성이었지만, 문명화된 현대사회에서는 날짐승에 대한 공포가 거의 사라져서 더는 필요가 없어졌다. 하지만 그 대신 현대인들은 사회적이거나 심리적인 위협에 그와 비슷한 긴장감을 느끼게 됐다.

현대인은 불특정한 다수의 세대, 계층, 인종과 관계를 맺으며 서로 다른 환경, 가치관, 문화, 종교, 이념 등이 부딪쳐 끊임없이 갈등을 겪고 있다. 이러한 상황이 자주 발생하면서 자신과 다른 유형의 사람에게 심리적으로 위협을 받는다고 느끼는 경우 역시 더 잦아졌다. 그런데 사람에 따라 표출하는 분노 반응은 매우 다르다. 똑같은 상황에서도 누군가는 화를 참지 못해 폭발하고, 누군가는 동요하지 않고 무덤덤하다.

분노를 느끼고 표출하는 이유는 본능적으로 자신과 자신의 무리에게 위해를 가하려는 위험한 상대에게 저항하기 위해서다. 하지만 실제로 부당한 일로 인해 피해를 보거나 억울한 상황을 겪지 않아도 분노가 치밀 때가 있다.

이러한 분노에는 특징이 있다. 눈에 보이는 피해는 아니지만 부정적 감정을 일으킨 자극이 있다는 점이다. 보통 그 감정을 느끼게 한 상대방에게 분노를 느끼게 된다. 사람마다 취약한 자극이 다르고 같은 상황에 다른 반응이 나올 수 있겠으나, 일반적으로 누군가를 자극해서 분노로 이끄는 부정적인 감정은 불안이나 공포, 수치심과 같은 것들이다.

민수 씨뿐만 아니라 학생부터 성인까지 나이를 불문하고 분노 조절에 대한 상담을 받는 사례가 증가하는 추세다. 사회적 관계에서 번번이 그리고 심하게 분노를 느낀다면, 어떤 형태로든 자신에게 해로 돌아온다는 생각을 해야 한다. 상대가 도발한다고 느끼는 순간 충동적 공격성이 일어나면 돌이키지 못할 낭패를 볼 수도 있다.

분노조절장애는 약물치료로 조절할 수 있다. 대표적으로 처방하는 약품이 '기분 조절제'인데, 충동 조절에 도움이 되는 약품인 기분 조절제는 스트레스의 원인을 조절하는 것이 아닌 스트레스에 따라 나타나는 반응을 조절하는 작용을 한다. 그래서 기분 조절제를 복용한 내담자들에게 "약 먹기 전 같았으면 분노가 확 터졌을 것 같은 상황인데, 신기하게도 어떻게 잘 참고 넘어간 거 같다."는 이야기를 많이 듣는다.

즉각적으로 일어나는 분노와 긴장을 완화하기 위해 항불안제를 복용하는 경우가 있다. 항불안제는 공격성에도 영향을 미친다.

공격성은 세로토닌이라는 신경전달물질이 줄어들면서 생기

는 증상이라고도 한다. 여기에서 세로토닌은 스트레스, 우울, 불안, 과도한 흥분이나 분노의 감정에 관여하는데 항우울제가 그 세로토닌을 조절한다. 그렇기 때문에 항우울제를 복용하면 공격성이 줄어든다. 다만 항불안제가 오히려 충동성에 안 좋은 영향을 미칠 수 있고 약에 의존하게 되는 오남용의 가능성이 있어서 신중하게 고민한 후 약을 복용해야 한다.

약물치료의 효과가 물론 크지만 이보다 중요한 것은 미처 깨닫지 못했던 분노조절장애의 원인을 찾아 교정하는 정신치료다. 어떤 상황이 자신에게 반복적으로 분노를 유발하는지, 화가 나게 만드는 취약한 감정은 무엇인지를 찾아보고, 이전 경험들이 마음 밑바닥에서 오늘 본인의 자극 과민성과 충동성에 영향을 주고 있지는 않은지 생각해보는 게 좋다.

시도 때도 없이 화를 참지 못하는 분노조절장애와 반대로 화를 내고 싶은데 화를 내지 못해 힘들어하는 사람들도 있다. 최근 부당한 일을 당했다는 서영 씨는 당연히 항의해야 할 일이었으나 마치 자신의 잘못인 양 그냥 "네."라는 대답만 했다며 속상해했다. 그 당시 한마디라도 할걸 하는 후회로 온종일 힘들었다는 서영 씨에게 어떤 이유로 아무 말도 하지 못했는지 물었더니, 화를 내면 상대방에게 상처를 줄 것 같았다며 조심스럽게 대답했다. 그는 학창 시절 당했던 학교폭력의 기억과 상처받았던 경험들을 아프게 지니고 있었다. 그래서 '나처럼 상처를 받는 사람이 또 생기면 안 돼.'라는 생각에 화를 내지 못하는 사람이 됐다.

이처럼 화를 내는 상상, 생각 자체를 안 해본 사람들이 의외로 많다. 진료실에서 이런 고민을 하고 있는 내담자에게 어떻게 화를 낼지 생각해보자고 하면 생각해보지 않아서 모르겠다고 대답하며 당황한다. 감정을 적당히 조절할 수 있다면 분노는 무조건 표출하지 말아야 할 나쁜 감정이 아니다. 불의에 저항하거나 자신을 지켜내려는 분노는 정의로운 에너지다.

서영 씨처럼 분노 표현이 어려운 사람은 우선 혼자서 화가 나는 상황을 상상하고 연습해보자. 연습 없이 화가 나는 상황을 마주했을 때 전과 다르게 제대로 분노를 표현하기를 바라는 것은 큰 욕심이다. "네가 그렇게 말하면 짜증 나고 화가 나."라고 실제로는 하지 못했던 말을 뱉어보자. 욕을 해도 괜찮다. '다음번에는 이렇게 표현해봐야지. 일단 시도해보고 연습한 것은 잘

⋮

분노를 표현해본 스스로를 칭찬하는 게 좋다.

거울을 보거나 영상을 찍으면서

본인이 어떻게 보이는지 확인해보는 것도 괜찮다.

처음에는 잘 되지 않더라도 꾸준히 연습하면

분명 실제로 표현할 수 있는 날이 온다.

⋮

했어.'라고 분노를 표현해본 스스로를 칭찬하는 게 좋다. 거울을 보거나 영상을 찍으면서 본인이 어떻게 보이는지 확인해보는 것도 괜찮다. 처음에는 잘 되지 않더라도 꾸준히 연습하면 분명 실제로 표현할 수 있는 날이 온다. 분노를 표현하고 수용받는 경험이 쌓이면 분노라는 감정, 그리고 분노를 표현하는 나를 인정할 수 있게 될 것이다.

다 말하지 않아도 내 마음을 알아줬으면 좋겠어요
: 마음 이론

상대방의 생각이 어떨지, 상대방의 입장을 한번 더 헤아리는 성숙한 마음을 가지기란 쉽지 않다. 보통 자신의 관점에서 일방적으로 타인의 행동을 추측하고 판단하는 경우가 흔한데, 이러한 경향을 설명할 때 정신건강의학과에서는 '마음 이론Theory of Mind'이나 '정신화Mentalization'라는 용어를 사용한다.

언제나 부모에게 인정받는 딸이고자 했던 은지 씨는 어느 날 가족 모임에서 어머니와 사소한 문제로 다투게 됐다. 마음이 상한 채로 자취방에 돌아온 그는 어머니와 다투었던 일이 가슴에 얹혀 몇 날 며칠을 불편하게 지냈다. 언짢은 마음을 씻어보려 영화를 보고 친구를 만나기도 했지만 불편한 마음이 가시지 않았다. 밤에는 잠도 잘 오지 않았다. 한참 고민하던 딸은 갑자기 어머니에게 무슨 일이 생긴 건 아닌가 하는 걱정이 들었다. 가슴이 덜컥 내려앉아 급하게 어머니에게 전화했다. 그런데 전화를 받은 어머니는 평소와 다름없이 딸의 이름을 부르며 일상을 이야기했다. 은지 씨는 너무나 평온한 어머니의 목소리에 '나만 걱정하고 있었구나. 나는 조금만 잘못해도 어머니의 관심에서 열외가 되는 자식이구나.' 하는 생각이 들었다. 혼자만 괴로워했던 것이 너무나 억울해서 죽고 싶은 마음마저 들었다고 했다.

며칠 동안 어머니에게 연락이 오지 않았던 것은 딸의 입장에서 충분히 속상할 수 있는 일이다. 그런데 어머니는 연락이 소원했던 동안 정말 전혀 딸의 걱정을 하지 않았을까? 어머니는 딸을 생각하지 않고 있었는데 자신만 어머니를 걱정하고 있어서 섭섭하다는 은지 씨의 판단은 틀릴 수 있다. 평소 자주 연락했던 어머니가 전화하지 않는 이유나 전화를 받으면서 아무 일 없었다는 듯 딸을 대한 데는 다른 이유가 있을 수도 있다.

하지만 은지 씨는 어머니가 딸을 걱정했다면 당연히 연락을 취했을 텐데 먼저 전화하지 않은 것을 보니 나를 걱정하는 마음이 없다는 생각의 흐름 속에 갇혀 있었다. 일일이 말하지 않아도 저 사람이 내 마음을 알아줬으면 하는 생각도 이와 비슷한 생각의 흐름이다. 사랑하는 연인과의 관계에서 특히 내 기준에서 상대방의 행동을 평가하는 '틀린 믿음'에 빠지기 쉽다. '나는 사랑하는 그와 하루에도 몇 번씩 이야기를 나누고 싶고, 궁금한 마음을 참지 못해 연락해. 그런데 그는 나에게 연락하지 않는구나. 나를 사랑하지 않는 것이 분명해.' 같은 생각이 그렇다.

마음 이론은 자기 자신과 다른 사람들의 마음 상태에 대해 추론하는 능력이다. 사람마다 어떤 의도나 믿음, 느낌과 같은 마음 상태가 있다. 마음 상태가 행동과 연결된다는 것을 이해하고 타인의 행동 기저에 그 사람만의 마음 상태가 있다는 것을 우선 떠올리는 과정은 상대방의 마음을 헤아리고 상호작용하는 데 도움이 된다.

일부러 노력하지 않아도 다른 사람들이 원하는 것이나 믿는 것 등을 직감하는 경우도 있다. 아이에게 밥을 주면서 엄마가 "아." 하고 말하며 입을 벌리는 것은 엄마가 하는 행동을 아이가 따라서 하리라는 것을 직감으로 인지하기 때문이다. 이처럼 의식적인 판단 이전에 느낌으로 타인의 감정과 의도를 알아내는 능력이 마음 이론이다. 그런데 이러한 마음 이론에 결함이 생기면 자기중심적으로 판단하게 된다.

마음 이론에 대한 대표적인 실험이 '잘못된 믿음 테스트'다. 영이와 한 방에 있던 철이는 공을 바구니에 넣은 뒤 밖으로 나간다. 철이가 밖으로 나갔을 때 영이는 바구니 안의 공을 다른 상자로 옮겨버린다. 방으로 돌아온 철이에게 상자와 바구니 중 어디에 공이 있는지 물어본다. 철이는 당연히 곧장 바구니로 가서 공을 찾아볼 것이다. 영이가 중간에 공을 바구니에서 상자로 옮긴 것을 모르기 때문이다. 공이 실제로는 상자에 있겠지만 영이가 공을 옮긴 것을 알고 있는 질문자가 상자에 공이 있다고 믿는 것과 처음 공을 바구니에 넣었던 철이가 공이 바구니에 있을 것이라 알고 있는 것과는 다르다는 것을 파악하는 것이다. 이렇게 철이의 마음 상태를 추론하는 것이 마음 이론이다. 마음 이론에 결함이 있다면, 철이가 공을 상자에서 찾을 것이라는 비틀린 답을 하게 된다.

연애하는 사이에 이를 적용하면 "너는 내가 하루에 세 번 통화하지 않으면 화낼 것을 뻔히 알면서도 전화를 안 하는구나. 일부러 나를 화나게 하려고 것이 분명해. 나에 대한 마음이 없는 거겠지."라고 반응하는 식이다. 하지만 당사자의 마음을 상대방이 모를 수도 있지 않을까? 친구가 공을 바구니에서 상자로 옮긴 것을 모르고 바구니에서 공을 찾았던 철이의 행동을 잘못으로 몰면 곤란하다.

영이에게도 "공을 어디에서 찾을까?"라는 질문을 해본다. 영이는 자기가 공을 옮겼다는 사실을 알고 있지만, 철이가 공의 위치가 바구니에서 상자로 옮겨졌다는 걸 모른다는 것 또한 생각하고 있는지 알아보기 위해서다.

3세 이하의 아이라면 대부분 엉뚱한 대답을 하지만 4세, 5세로 갈수록 거의 정답을 말한다. "철이가 밖에 나가서 공을 상자로 옮긴 것을 모른다." 이렇게 분명히 다른 사람의 마음을 알고 상대방의 입장에서 생각하는 사회적 조망수용능력이 발달하게 되는 것이다.

⋮

마음 이론의 발달은 생후 7~9개월이 중요한 시기다. 부모가 손가락으로 어떤 물체를 가리키면 아기가 시선을 따라가 보는 것처럼 부모와의 상호작용을 통한 발달이 시작되는데, 3~4세가 되어서야 일차적인 마음 이론 능력을 습득하게 된다. 3세 이전까지의 아이는 모든 생각이 자기중심적이다. 자신의 우는 이유를 다른 사람도 알고 있고, 내가 웃으면 다른 사람도 기쁘겠다고 생각한다. 3~4세 정도가 되면 '아, 엄마는 이렇게 생각하는구나.' 혹은 '엄마는 나와 다른 생각을 하고 있구나.' 하는 식으로 나 아닌 다른 사람의 마음을 유추해보게 된다.

마음 이론의 발달 단계가 모든 아이에게 일률적으로 적용되지는 않는다. 언어를 비롯한 인지발달의 미숙이나 사회성 발달 자체의 미숙 등으로 문제행동이 생길 수도 있다. 마음 이론의 능력은 자폐 스펙트럼장애를 앓는 사람들처럼 선천적으로 부족한 경우도 있지만, 별다른 문제가 드러난 적 없던 사람도 수면이 부족하거나 심한 스트레스를 받을 때 문제로 나타날 수 있다.

다른 사람의 생각과 감정을 이해하는 과정은 '정신화'라고 한다. 다른 사람의 마음이나 생각을 이해한다는 점에서 마음 이론과 같지만, 정신화는 다른 사람의 마음을 헤아리려고 할 때 저절로 집중하게 된다는 점이 다르다. 즉 '저 사람은 왜 저런 행동을 할까?' 혹은 '어떤 생각을 하고 있을까?' 하고 생각하는 것이다. 전자를 내면적 정신화, 후자는 외현적 정신화라고 부른다. 내면적 정신화는 직감적으로 성찰하지 않은 채 자신의 관점에서 상대방을 생각하는 것이다. 아기가 갑자기 울음을 터트릴 때 '아기가 배고픈가?' 하고 직관적으로 떠올리고 반응하는 것이 내면적 정신화다. 그에 반해 외현적 정신화는 자신과 그 사람이 다르다는 것을 알고 상대에 대해 의식적으로 심사숙고해서 알아보려고 노력하는 것이다.

어머니에게 섭섭했던 은지 씨는 '나는 전화를 하는데 왜 어머니는 전화하지 않는 것일까?'를 곱씹으며 어머니가 자신을 걱정하지 않았다고 단정했기에 괴로운 마음이 컸다. 이유를 생각하는 과정에서 나와 상대가 다르다는 것을 인지하고 성찰하는 '외현적 정신화' 과정이 잘 이루어지지 않았던 것이다.

은지 씨는 가족과의 관계뿐 아니라 직장, 친구 관계에서도 비슷한 일들로 계속 힘들어했다. 직장에서는 동료가 자신에게 함께 밥을 먹으러 가자고 하지 않은 상황에서 정신화 과정에 문제가 생겨 상처받기도 했다. '사람들이 같이 밥을 먹으러 가자고 안 하네. 나라면 처음 입사한 사람에게 밥 먹으러 가자고 할 텐데, 나를 싫어하는 걸까?'라고 생각했기 때문이다. 친구와의 관계에서도 서운할 때가 많았다. 생일 축하 메시지가 생일 당일 12시가 되자마자 오지 않으면 '친구 생일 때 나는 바로 축하 메시지를 보내줬는데 막상 나에게는 관심이 없구나. 나를 하찮게 여기는구나.'라고 생각했다.

공교롭게도 은지 씨의 어머니는 나에게 진료를 받은 적이 있었다. 어머니는 딸과의 갈등을 풀기 위해 다툼이 있고 난 뒤 연락해야 할지, 연락한다면 어떻게 해야 할지 고민된다며 내원했었다. 그래서 나는 어머니가 딸에게 먼저 연락하지 않은 이유가 딸을 걱정하지 않아서가 아님을 잘 알고 있었다. 어머니가 전화하지 않았던 이유에 대해서 딸을 걱정하지 않기 때문일 가능성은 없는지 물어봐도 은지 씨는 자신이 받은 상처만을 주장했다. 간극이 더 벌어지면서 다툼이 계속되자 결국 어머니는 은지 씨가 너무 걱정되어 병원에 다녀갔던 일을 은지 씨에게 말했으나 은지 씨는 아무런 이야기도 들으려 하지 않았다.

⋮

어렸을 때부터 가정과 학교 등에서 받은 트라우마가 워낙 컸기에 마음 이론, 정신화 과정의 발달이 제대로 이뤄지지 않은 은지 씨의 상황과 마음이 안타까웠다. 이처럼 부정적인 정서 경험이나 트라우마 경험이 많으면 심사숙고하는 정신적 외현화 과정 발달이 어려워진다.

은지 씨는 진료실에서도 곧잘 화를 냈다. 잠은 잘 주무셨는지 물어보는 날에는 왜 오늘은 식사를 잘 했는지 확인하지 않느냐고 따지기도 했다. 어느 날에는 질문을 많이 하지 않으면 자신에 대해 별로 알고 싶지 않냐며 목소리를 높였다.

"은지 씨가 정말로 나아지시기를 바라고 있어요. 상담 때마다 그동안 많이 힘들지는 않으셨을까 걱정도 되고요. 제 마음이 그런데도 은지 씨가 상담 중 섭섭한 마음을 표현하는 것은 제가 하는 말이나 행동이 분명 은지 씨께서 기대하는 점과 많이 달라서였을 거예요. '나라면 이런 점을 세세히 물어봤을 텐데 왜 저 사람은 물어보지 않는 걸까? 이해가 안 되네'라는 생각에 화가 올라오기도 하겠지요. 물론 은지 씨가 불편한 마음을 표현하는 것이 잘못된 행동은 아니에요. 하지만 같은 마음을 가지고 있어도 다르게 표현할 수 있다는 것을 알아주셨으면 좋겠어요."

⋮

·
·
·
·
·

'저 사람 행동이 싫기는 하지만 틀린 건 아닐 수 있어.'

라는 생각으로 마음을 살며시 열어보자.

어려운 첫걸음을 일단 딛고 나면 어느새

생각과 마음의 폭이 넓어진 자신을 발견하게 될 것이다

·
·
·
·
·

치료자가 진료 과정에서 조금씩 다르게 행동할 수 있음을 설명하며 교정하는 과정을 반복했다. 은지 씨와의 상담은 나에게도 여전히 어렵고 조심스럽지만 차츰 이해의 폭이 늘어가는 그를 보며 뿌듯함을 느낄 때가 많아졌다.

'나라면 이렇게 했을 텐데, 대체 쟤는 왜 저러지?'라는 생각이 자주 든다면 '저 사람은 저런 말과 행동을 하는구나. 하긴 나하고는 다른 사람이잖아. 저 사람 행동이 싫기는 하지만 틀린 건 아닐 수 있어.'라는 생각으로 마음을 살며시 열어보자. 어려운 첫걸음을 일단 딛고 나면 어느새 생각과 마음의 폭이 넓어진 자신을 발견하게 될 것이다.

“이제 엄마 마음을 알 것 같아요.”

규형 요즘 어떻게 지내세요?

은지 최근에 엄마하고 연락할 일이 있었어요. 엄마와 다툰 후 반년 정도 연락을 끊고 지냈는데요. 연락하지 않고 지내는 동안 남자친구가 어머니의 빈자리를 채워줬던 것 같아요. 남자친구와 함께할 미래를 꿈꿀 정도로 사이가 좋아서 엄마 생각도 덜 나고 아쉬움이 없었어요.

규형 그런데 어머니하고 연락을 하셨다고요?

은지 네, 남자친구와 크게 싸우고 나서 사이가 좀 소원해졌는데요. 그때 엄마가 그리워졌어요. 세상에 홀로 남겨진 것 같은 외롭고 슬픈 마음으로 엄마한테 전화를 걸었는데요. 엄마가 바로 “어, 우리 딸” 하면서 전화를 받으시더라고요. 마치 어제 만났던 것처럼 선선한 목소리였어요.

규형 연락하지 않고 지냈던 그간의 공백이 일순간에 사라진 느낌이었겠네요.

은지 네. 엄마 목소리를 듣자마자 눈물이 펑펑 나서 “엄마, 엄마” 불렀어요. 엄마가 나를 정말 사랑하고 있었구나 하는 걸 알겠더라고요.

규형 네, 그랬군요. 그런데 어머니가 반년 전에도 비슷하게 '우리 딸' 하면서 전화 받았던 걸로 기억하는데요. 그때하고는 마음이 달랐던 것 같네요.

은지 맞아요. 엄마의 말투는 반년 전에 제가 '나만 걱정하고 있었구나, 나는 엄마의 관심에서 벗어난 자식이구나.'라고 생각하며 억울해했던 그때와 똑같은 평온한 말투였어요. 그런데 이상하게도 그때는 섭섭했고 이번엔 전혀 다른 마음이 들었어요.

규형 은지 씨가 어머니의 감정을 어떻게 받아들이느냐에 따라 동일한 표현에도 마음이 크게 달라져서 어머니의 사랑과 걱정을 느끼게 된 것 같아요.

은지 아마 그랬던 거겠죠? 제가 속으로 바라는 어머니의 모습에만 맞춰 오해했던 지난 시간을 후회했어요. 그리고 이제 제 기준으로 다른 사람의 마음을 추측하고 평가하지 않겠다고 마음먹었어요.

규형 상황이 너무 힘들어서 오히려 어머니의 모습을 좋은 쪽으로 해석했을 수도 있어요. 어쨌든 이번에 스스로 마음을 정리하는 과정을 보니 어머니와 또 다투더라도 전보다 빨리 관계를 회복하실 것 같네요.

배고픈 건 참아도 배 아픈 건 못 참겠어요
: 자존심과 자존감

지우 씨는 스스로 생각해도 자존심이 남다른 사람이다. 배고픈 건 참아도 배 아픈 건 절대 못 참는 그녀는 항상 남에게 뒤처지지 않게 자신을 관리했다. 다른 사람들에 비해 얼마나 잘 살고 있는지를 점검하는 것이 일상의 우선순위였던 지우 씨 삶의 모토는 '지고는 못 산다.'였다.

빠지지 않는 외모에 걸맞게 잘 꾸미는 그녀는 매력적이라는 이야기를 질리게 들었다. 그런데 언제부턴가 주변과 자신을 비교하며 괴로워하는 마음이 생겼다. 특히 회사에 자기보다 예쁘고 어린 신입사원이 들어오면 견딜 수가 없었다. 점점 나이를 먹으며 도저히 어린 후배의 상큼한 젊음을 이길 수 없다고 생각한 그녀는 비싼 가방을 들거나 해외여행을 다니면서 주목을 받기 위해 애썼다. 주변인보다 조금이라도 더 나아 보이는 것으로 자존감을 유지했던 지우 씨는 어디서나 자신감 있는 당당한 사람 같았지만 사실 그녀 안에 숨어 있는 자존감은 매우 낮았던 것이다.

다른 사람들과 끊임없이 자신을 비교했던 그녀는 입에 발린 찬사와 인정이라도 듣지 못하면 계속 불안했다. 칭찬을 듣지 못하면 자신이 부족한 사람이라는 생각이 들었기에 계속해서 본인의 가치를 확인받고 싶어 했다.

이러한 그녀의 인정욕구는 남자친구와 결혼을 준비하면서 증상이 더욱 심해졌다. 갈등의 시작은 서로 주고받은 예물에 대한 비교였다. 지우 씨는 예비 신랑에게 누구에게도 꿀리지 않는 고가의 양복과 구두, 시계를 선물하며 정성을 다했다. 그런데 어이없게도 자신에게 돌아오는 것은 형편없었다.

처음에는 사랑하는 남자친구에게 무엇이든 해주는 것만으

로도 기쁘고 좋았다. 그렇지만 상대가 받기만 하는 일이 계속되자 '내가 아쉬울 필요도 없는데 왜 이러고 있나.' 하는 생각에 서운함이 쌓였고 예비 신랑에게 건너간 선물과 자신이 받은 선물을 비교하며 울컥 서러움이 치밀었다. 결국 양가 부모님께 인사를 드리고 선물을 주고받는 중 참았던 서운함이 터져 크게 다투게 됐다.

지우 씨는 예비 시댁인 남자친구 부모님께 최고급 한우를 드렸다. 그런데 남자친구가 지우 씨 집을 방문하며 부모님에게 드린 선물은 평범한 과일 바구니였다. 성의와 가격에서 차이가 벌어지는 선물을 준비했다는 것도 섭섭했지만 남자친구와 그 부모님에게 고맙다는 인사조차 듣지 못하자 참을 수 없을 만큼 자존심이 상했다.

자존심은 센데 자존감은 낮은 사람들이 흔하다. 많은 사람들이 얼마 전까지도 그 차이가 무엇인지 의아해했지만 요즘에는 자존심과 자존감이 다르다는 것을 잘 이해하고 있다. 자존심은 남에게 굽히지 않고 스스로를 지키려는 마음이다. 비교와 경쟁에서 우위에 있으려는 마음은 무엇을 하더라도 열심히 하게 만들고 높은 성취를 이루는 데 도움을 준다. 그러나 비교에서만 얻을 수 있는 가치는 무너지기 쉽다. "걔는 자존심이 너무 세서 미안하다는 말을 절대 안 하더라."라는 표현처럼 마냥 자존심이 높다고 좋은 것도 아니다. 반면 자존감은 어떠한 상황이든 자신이 가치 있고 존중받을 만하다는 믿음으로, 스스로 존중하고 사랑하는 마음인 '자아존중감'을 뜻한다.

자존감은 세 가지 요소로 구성된다. 먼저 자기효능감이다. 자기효능감은 자신이 어떤 일을 성공적으로 수행할 수 있는 능력이 있다고 믿는 기대와 신념이다. 이러한 자기효능감이 높으면 어떤 일을 시작할 때 두려움이 적고 일을 하면서 어려운 점이 생겨도 끈기 있게 이겨낼 힘이 있다. 반대로 자기효능감이 낮으면 일을 시작하는 것을 두려워하기 때문에 첫 발을 내딛기 자체가 어렵다. 설사 간신히 시작했다 하더라도 중간에 중단하기 쉬운데, 스스로 중단하는 것이 끝까지 하고도 부족한 결과물을 내는 것보다는 나을 수 있다고 합리화한다. 어차피 '티끌 모아 티끌' 아니겠냐는 생각이다.

자존감의 두 번째 요소는 자기조절감이다. 내 삶을 스스로 조절하고 있다는 느낌을 뜻하며, 자기통제감이라고도 부른다. 자기효능감이 높으며 자기 일을 잘하고 있는데도 불구하고 자존감이 낮은 사람을 관찰해보면 자기조절감이 부족한 경우가 많다. 어렸을 때부터 시키는 대로, 정해진 대로만 살아가다 보니 내 생활을 스스로 통제하고 조절한다는 느낌이 부족한 것이다.

자존감의 세 번째 요소는 자기안정감으로, 내 인생이 편안하고 안전하게 유지된다는 느낌을 뜻한다. 지금 내 상황을 불안하고 위태롭다고 생각하면 자기안정감이 무너질 수 있다. 자존감을 이루는 다른 요소가 높아도 자기안정감이 낮으면 기분 변화가 크고 충동적인 행동을 할 수 있다.

일반적으로 '기대하는 나'와 '현실의 나'의 차이가 벌어질 때 자존감 문제가 발생한다. 특히 기대하는 나에 대한 기준이 너무 높을 때 문제가 생긴다. 예를 들어 무조건 시험에서 1등을 해야 하는 사람은 2등을 했을 때 좌절감과 괴로움이 크다.

어렸을 때부터 높은 기준을 강요받으면 이런 경향이 심해진다. "1등 성적표를 받은 날이었어요. 칭찬받을 생각으로 집에 갔는데 부모님께서 칭찬은커녕 하나 틀린 수학 문제를 지적하며 혼내시더라고요.” 놀랍게도 이와 비슷한 이야기를 꽤 자주 듣는다. 이렇게 계속 부모님께 지적을 당하다 보면 부모님의 기준이 내재화되어 주변에서 누가 이야기하지 않아도 높은 목표를 이루도록 스스로 다그치게 된다.

현실의 나를 너무 낮게 평가해서 문제가 생기기도 한다. 습관처럼 자신을 부족하다고 생각하며 ‘이제까지 이뤄냈던 것은 별것 아니었다. 누구나 할 수 있는 쉬운 일이라서 한 것이다. 그냥 운이 좋았을 뿐이다.’라고 자신을 과소평가하는 것이다. 뭘 이뤄본 적이 없으니 이번에 해야 할 일도 당연히 못 할 거라고 생각하는데, 이런 마음으로 일을 하다 보면 결과적으로 잘되기가 어렵다. 이렇게 좋지 않은 결과를 얻으면 또다시 자책하고 자존감은 떨어지게 된다.

두 가지 경우에 모두 해당하는 사람도 많다. 기대하는 나에 대한 기준이 높은데 현실의 나에 대한 평가는 낮아서 더욱 삶이 괴로운 사람들이다.

자기조절감도 기대와 현실 사이에서의 차이에 따라 달라진다. ‘이 정도는 컨트롤하면서 살아야 해.’라는 기대와 실제 통제하고 있다고 믿는 것과의 괴리가 클수록 자기조절감이 부족해진다. 자기조절감이 낮은 사람들을 보면 과정이 아닌 결과를 통제하고 싶어 한다. 아무리 노력해도 생각처럼 결과가 나오지 않을 때가 많은데 과정은 충분히 잘 조절하면서 살아왔음에도 결과를 조절하지 못했다는 패배감이 자존감을 낮춘다.

자기안정감 역시 자기효능감이나 자기조절감과 마찬가지로 내 인생이 편안하게 유지된다는 느낌에 대한 기준이 높으면 안정감을 느끼기 힘들다. 자기 상황이 수개월 이상 계속해서 편안하게 유지되어야만 안정된 것으로 생각하거나 혹은 안정된 것처럼 보이는 다른 사람과 자신을 비교하면서 불안하다고 생각한다면 자존감이 저하되기 마련이다.

자존감이 낮다는 문제를 해결할 방법은 기대를 낮추거나 스스로에 대한 평가를 높이는 것이다. '반드시 이만큼 해내야 해.'라고 생각하고 있다면 '그만큼 해야 하는 것은 아니야. 목표를 이뤄내면 좋겠지만 그보다 낮은 목표라도 괜찮아. 길게 보자.'라고 생각을 바꿔보자.

스스로에 대한 평가를 높이는 가장 쉽고 효과가 좋은 방법은

·
·
·
·
·

자존감이 낮다는 문제를 해결할 방법은

기대를 낮추거나

스스로에 대한 평가를 높이는 것이다.

'목표를 이뤄내면 좋겠지만

그보다 낮은 목표라도 괜찮아.

길게 보자.'

·
·
·
·
·

‘칭찬 일기’ 쓰기다. 아주 작고 하찮은 일이라 생각되더라도 잘한 일을 매일 세 가지씩 써보는 것이다. 낮은 자존감으로 힘들어하는 사람은 유독 칭찬 일기 쓰기를 어려워한다. 칭찬할 만한 일에 대한 기준이 높고 자신을 부정적으로 평가하기 때문에 칭찬받는 것 자체가 어색해서다.

지금 이 글을 읽으며 ‘이걸로 뭐가 좋아져?’라고 생각하는 사람도 있을 것이다. 그런데 진료실에서 내담자들에게 가장 많이 듣는 이야기가 ‘칭찬 일기를 꾸준히 쓴 것이 자기비난에서 벗어나는 데 많은 도움이 됐다’는 고백이었다.

자존심에 비해 자존감이 낮았던 지우 씨도 꾸준히 상담하면서 분명 처음과는 많이 달라졌다. 물론 아직 상담해야 할 응어리가 쌓여 있긴 하지만 자신의 마음을 통제하고 다스리며 결혼을 준비하고 있다. 진료실을 나서며 지우 씨가 말했다.

“남자친구가 나에게 베푸는 것들이 아예 보이지 않는 것은 아니지만, 그에게 주고 싶어 하는 내 마음에 더 큰 의미를 두려 노력하고 있어요.”

Part 2.

MBTI만으로는 나를 다 말할 수 없어서

성격 유형 검사

이런 제가 정상인가요?
: 정상과 비정상

지연 씨는 아이와 집에서 숨바꼭질을 하고 있었다. 이리저리 숨고 발견하며 놀다 보니 흥이 오른 아이가 도망치다가 그만 탁자에 이마를 부딪치고 말았다. 부딪친 부분에서 피가 났고, 아이의 이마에는 큰 멍과 함께 상처가 남게 됐다. 지연 씨는 아이가 다친 일보다 아이를 잘 돌보지 못한 것에 대해 주변인에게 야단맞지 않을까 하는 걱정이 앞섰다며 당시의 마음을 털어놓았다. 곧이어 "이런 걱정을 하는 제가 이상하지 않으세요?"라며 물어왔다. 지연 씨는 부모라면 아이가 얼마나 다쳤는지 확인하고 적절한 처치를 하는 것이 제일 중요할 텐데, 다른 생각을 하는 자신이 부모로서 자격이 없는 것 같다고 힘들어했다. 실제로 아이에 대한 처치가 늦어지거나 별다른 문제가 생기지 않았는데도 자책을 하고 있었다. 그럴 수 있는 일이며 이상하지 않다는 나의 말에도 마치 혼나는 사람처럼 움츠러든 자세는 풀릴 기미가 없었다.

지연 씨가 스스로 이상하다고 생각하는 것은 이번만이 아니었다. 그는 사소한 사건에도 마음을 다치고 자책했다. 육아에 지쳐 귀여운 아이가 귀찮게 여겨지거나 때로 미워하는 마음이 들 때 그는 자신이 이상한 사람이 아닐까 괴로워했다. 자기 부모님에게 문득 원망하는 마음이 들 때도 그는 자식의 도리에 어긋난 잘못을 저지른 것처럼 부끄러워했다. 진료실에서 상담을 하면서도 속마음을 다 표현하지 못하는 자신이 답답하고 이상하다며 하소연한 적도 여러 차례다.

그렇다면 정상이 무엇이라고 생각하는지 지연 씨에게 물었다. 그는 '정신이 멀쩡한 것' 혹은 '정신이 멀쩡한 사람'을 뜻한다고 답했다. 지연 씨는 누구보다 반듯하고 도덕적이며, 그의 표현처럼 지극히 멀쩡한데도 왜 자신을 이상한 사람이라고 여기는 것일까. 지연 씨는 어려서부터 잘못한 일이 아닌데도 혼나는 일이 많았단다. 처음에는 억울하고 화도 났지만 결국 '내가 문제였구나'라고 원인을 자신에게 돌리는 것이 상황을 해결하는 가장 빠른 방법이라는 걸 깨달았다고 한다.

정상이 아닌 것을 '이상'이나 '비정상'이라고 한다. 사람들은 어떤 상황에서 느껴야 하는 감정이나 생각, 행동에 일정한 틀을 정하고 그 틀에서 벗어나면 이상하다거나 잘못이라고 지적한다. 확고한 신념을 가지고 자기의 잣대에 맞춰 정상과 비정상의 원칙을 정한 다음 마치 심판이라도 하듯 날 선 공격을 하는 경우도 있다. 그러나 종종 비정상을 지적하는 사람이 정상인지 판단이 안 설 때도 있다.

때로는 자연스러운 욕구를 이상하다고 평가하곤 한다. 인간의 기본 욕구인 식욕을 예로 들어 생각해보자. 배가 고프지 않거나 충분히 먹었는데도 계속 음식을 찾는 식탐이 과도해지면 비만이나 당뇨와 같은 건강 문제로 이어질 수 있다. 그러나 이는 식욕 자체의 문제라기보다 식욕을 적절히 조절하지 못해서 생긴 결과다. 욕구를 잘 조절하기 위해서는 욕구를 인정하는 것이 먼저다. 그런데 사람들은 '먹부림'이나 '식탐' 등의 말을 써가며, 식욕 자체를 부정적인 것으로 치부하곤 한다. 욕구를 부정할 때 생기는 자괴감이나 충족되지 못한 욕구는 결핍, 좌절 경험 혹은 스트레스로 작용한다. 스트레스로 인해 욕구를 적절히 조절해야 할 힘이 약해지면 결국 조절에 실패하고 폭식한 뒤 다시 자책하는 패턴으로 돌아오는 법이다.

두 번째 예로 들 욕구는 다른 이에게 주목받고 싶어 하는 관심 욕구다. 이 욕구가 지나친 행동으로 발현되는 사람들을 '관심병 종자'의 줄임말인 '관종'이라고 부르기도 한다. 타인의 시선을 끌기 위해서 모임이나 SNS 등을 통해 보여주는 과한 연극적인 행동은 다른 사람들을 불쾌하게 한다. 때문에 관심 욕구가 자연스러운 욕구라고 인정받기 어려운 면도 있다.

방송인 이지혜 씨는 유튜브 채널 〈밉지않은 관종언니〉에서 부끄럽게 여겨졌던 관심 욕구를 반대로 뒤집어 솔직하게 표현해 인기를 끌고 있다. 그녀는 '관종'이라는 말이 완벽하게 자신을 지칭하는 말 같았다며 솔직한 심정을 터놓았다. 이처럼 기본적인 욕구를 인정하기 어렵다면, 욕구를 부정적으로 단정짓는 표현부터 줄여보는 게 좋다.

세상에 정답이 없다고 말할 때 우화 『부자와 당나귀』를 인용하곤 한다. 아버지와 아들이 당나귀를 팔러 가는 길에 계속 주변 사람들의 말에 휘둘리다가 결국 끌고 가던 당나귀를 등에 지고 가게 된다. 냇가를 건너다 놀란 당나귀가 발버둥 치자 끈이 끊어져 당나귀는 물에 빠져 죽고 말았다는 이야기다. 진료실에서도 마찬가지다. 나는 늘 내담자들에게 진료실에서는 정답이 없으니 어떤 이야기를 해도 이상하지 않다고 설명한다.

지연 씨도 이상한 게 아니다. 때로 이상한 생각을 한다고 해서 이상한 사람은 아닌 것처럼 말이다. 스스로 불편함을 느끼는 이유는 이상해서가 아니라 '이상하다고 생각'해서다. 자신의 능력과 심리 상태, 주변 상황, 인간관계 전반에 걸쳐 정상적인 상태를 유지하는 사람은 없다. 게다가 이제껏 모든 조건을 갖춘 사람을 본 적도 없다. 우리 모두 '정상'의 기준에 대해 좀 더 관대해져야 하는 이유다.

육아에 지쳐 귀여운 아이가 귀찮게 여겨지거나

때로 미워하는 마음이 들 때

그는 자신이 이상한 사람이 아닐까 괴로워했다.

이게 진짜 제 성격인가요? : MBTI

서먹서먹한 모임에서 어색함을 깨기 위한 아이스 브레이킹의 주제가 혈액형이었던 때가 있었다. 요즘은 다르다. 상대의 기질을 짐작하는 성격 유형 조사 방법의 절대 우위를 점했던 혈액형별 성격 탐색이 시들해지면서 그 자리를 MBTI가 차지하고 있다.

진료실의 상담 내용 중에도 MBTI에 대한 부분이 많아졌다. 내담자에게 자신이 어떤 성격인지를 물어보면 망설이지 않고 MBTI 결과를 알려주는 사람이 늘고 있는데, 보람 씨는 “저는 전형적인 P거든요. 그래서 J인 친구하고 너무 안 맞아요."라며 분석적인 고민을 꺼내놓았다.

MBTI는 마이어-브릭스 유형 지표MBTI, The Myers-Briggs Type Indicator의 약자로, 모녀 관계인 마이어스와 브릭스가 스위스의 정신분석학자인 칼 융의 심리 유형론을 기초로 개발한 자기 보고식 성격 유형 검사 도구다. 우리나라에는 1990년에 도입된 이후로 학교나 직장, 군대 등에서 널리 사용됐다.

MBTI는 검사받는 사람을 네 가지 선호 경향에 따라 열여섯 가지 성격 유형으로 분류한다. 우선 네 가지 분류 기준은 정신적 에너지의 방향성을 나타내는 외향과 내향(E-I) 지표, 정보 수집을 포함한 인식의 기능을 나타내는 감각과 직관(S-N) 지표, 수집한 정보를 토대로 합리적으로 판단하고 결정 내리는 사고와 감정(T-F) 지표, 인식 기능과 판단 기능이 실생활에서 적용되어 나타난 생활양식을 보여주는 판단과 인식(J-P) 지표다. 이러한 네 가지 분류 기준에 따른 질문을 체크한 뒤 그 결과에 따라 수검자를 INFP, ISTP, ENTJ, ENTP 등 열여섯 가지 심리 유형 중 하나로 분류한다. 네 가지 유형은 각각 다음과 같은 성향이 있는 것으로 규정하고 있다.

외향과 내향(E-I) 지표는 심리적 에너지와 관심의 방향이 외향성인지 내향성인지를 가리는 지표다. 외향성인 E 타입은 밖의 세계에 관심이 있으며 활동적 에너지가 넘치는 사람이다. 글보다는 말로 표현하는 걸 좋아하며, 어디서나 자신 있게 나서는 성격이다. 반면 내향적인 I 타입은 자기 세계를 중요시하며 조용히 사색을 즐긴다. 말수가 적고 말보다는 글로 마음을 전하는 것을 편하게 생각한다.

감각과 직관(S-N) 지표는 대상을 인식하고 지각하는 방식이 감각형인지 직관형인지를 가리는 지표다. S 타입은 시각, 청각, 후각, 미각, 촉각 등 실제로 느끼는 오감을 중요하게 여기며, 지금에 몰두한다. 또한 관찰력이 높고 매사에 마무리가 깔끔한 편이다. 이와 달리 N 타입은 상상력이 풍부하고 창조적인 사람이다. 직접 감지하는 감각보다 육감에 따라 움직일 때가 많으며, 당장의 성과보다 미래의 가치에 더 큰 무게를 둔다.

사고와 감정(T-F) 지표는 정보에 대한 판단이 사고형인지 감정형인지를 가린다. T 타입은 객관적인 사실에 따라 분석적 판단을 내린다. 그래서 공정한 원칙과 빈틈없는 이행에 가치를 둔다. 또한 맞고 틀림이 분명한 이분법적 사고로 비판의식도 강하다. 반대로 F 타입은 원칙보다 인간적 관계나 사정 등 정서적 인정에 기대어 판단하고 결정을 내리는 경우가 많다.

판단과 인식(J-P) 지표는 실생활에 대처하는 방식이 판단형인지 인식형인지를 가린다. 대체로 J 타입은 목적의식이 높고 체계적이며 시간을 끌지 않고 합리적으로 결정을 내린다. 호기심과 모험심 천국인 P 타입은 계획을 세우기보다 상황에 맞춰 유동적으로 행동하며 변화를 추구한다.

MBTI 성격 유형 검사는 특히 젊은 층의 많은 관심을 받고 있다. 자신과 타인의 성격과 성향 차이를 이해하도록 돕는 적성 검사 도구의 한 방법이지만, 분석 결과를 믿는다는 응답률이 거의 80%에 이를 만큼 높은 신뢰를 받고 있다.

J 타입 친구와의 갈등 때문에 진료실을 찾은 P 타입 보람 씨가 힘든 진짜 이유는 같은 음식점에서 아르바이트를 하는 두 사람의 일 처리 방식이 달라서였다. J 타입 친구는 계획한 대로 일을 처리하지 않으면 힘들어하는 사람이었는데 정해진 일을 계획대로 처리하는 친구와 달리 보람 씨는 일이 생기면 그때그때 처리

⋮

J 타입 친구와의 갈등 때문에

진료실을 찾은 P 타입 보람 씨가 힘든 진짜 이유는

같은 음식점에서 아르바이트를 하는

두 사람의 일 처리 방식이 달라서였다.

⋮

하는 사람이었다.

계획대로 일을 처리하지 않는 보람 씨의 방식이 문제 되지 않았는데도 친구는 본인의 일 처리 방식만이 옳다며 보람 씨를 번번이 지적하고 비난했다. 거기에 더해 보람 씨의 성격 자체를 이상하고 틀린 성격으로 평가하기도 했다.

"네가 그런 성격이라 이번 일도 이 모양이 됐지."라는 지적을 들었다며 상한 마음을 하소연하는 보람 씨의 말을 듣자니 나 역시 울컥하는 마음이 들었다. 보람 씨처럼 나도 P 타입이다 보니 더 감정 이입이 됐던 모양이다. 친구에게 계속 비난을 받자 보람 씨는 친구와 맞지 않는 이유가 본인의 성격 탓이 아닌가 하는 생각이 든다고 했다.

"그 친구 말고 다른 친구와도 보람 씨 성격 때문에 문제가 생겼던 적이 있었나요?"

"잘 떠오르지는 않는데요. 친구들과 사소한 의견 차이를 보인 적은 있었지만 심각한 문제까지 간 적은 없었던 것 같아요."

대체로 대인관계가 원만했던 보람 씨는 유독 그 친구와의 관계에서만 문제가 발생하고 있었다.

사회에서 선호하는 MBTI 유형이 있기는 하다. 내향적인 I보단 외향적인 E를, 생각 많은 N보다는 단순한 S를, 감성적인 F보다는 논리적인 T를, 그리고 충동적인 P보다는 계획적인 J를 더 선호하는 경향이 있다. 이런 식으로 호불호가 나뉘다 보니 사회에서 선호하는 성향을 가진 사람이 자신과 다른 성향의 사람은 잘못된 성향을 가진 것처럼 비난하는 일이 생기기도 한다. ENTJ인 친구에게 INFP인 보람 씨는 많은 유형에서 비교당하기 좋은 MBTI 유형을 가지고 있는 상대였다.

유난히 정답을 정해놓고 실천해야만 직성이 풀리는 것이 우리나라 사람의 보편적 성정이다. 대학은 꼭 가야 하며 졸업 후 반드시 취업을 해야 한다. 결혼을 해서 아이도 낳아야 하는데 그 아이 교육은 어렸을 때부터 뒤지지 않게 시켜야 한다. 이러한 인식은 성격까지도 정답을 요구하는 지경에 이르렀다. MBTI 특정 유형에 대해 채용을 고려하는 기업까지 등장했으니, MBTI가 일종의 스펙처럼 다뤄지는 상황은 아무리 생각해도 비상식적이다.

MBTI 검사가 이렇게 유행인 것도 정답을 요구하는 사회 분위기가 한몫을 한 셈이다. MBTI 검사 결과를 보며 내 성격이 사회에 맞는 성격인지, 그렇지 않다면 어떻게 바꿀 수 있을지를 고민하는 사람이 많아졌다.

MBTI와 같은 성격 검사는 내가 어떤 사람인지 알아보는 데 어느 정도 도움이 될 수 있다. 그러나 성격 검사를 한다고 해서 성격과 마음을 완전히 파악할 수 있겠는가. MBTI 열여섯 가지 유형만으로는 설명할 수 없는 많은 부분들이 우리의 성격을 나누고 있다. 혼자만의 시간이 중요한 성향이라 하더라도 집에서 무엇을 하며 쉬는지는 개인마다 너무 다르지 않은가.

사회적으로 좋지 않은 MBTI 성향을 다 가지고 있다며 의기소침해 있는 보람 씨와 그 성향의 장점을 찾는 면담을 진행했다. 주로 보람 씨를 공격하는 친구 이외에 다른 친구와의 관계가 어떤지 이야기를 나누었다. 보람 씨는 친구 사이에서 조용하고 착하다는 평을 듣는 사람이었다. 친구의 이야기를 잘 들어주고 공감도 잘해주다 보니 보람 씨에게 고민 상담을 요청하는 친구들이 여럿이었다. 이러한 모든 점이 분명 장점이었는데도 불구하고 자기 비난에 익숙했던 보람 씨는 친구와의 관계에서 고민을 들으며 에너지가 소진되는 것도 힘들고 고민을 들으면 어떻게 답을 해야 할지도 모르겠다며 자신의 성격이 싫다고 했다.

⋮

면담을 할 때마다 계속해서 그의 장점을 찾아내고 칭찬해주는 연습을 했다. 상담 회차가 늘어갈수록 보람 씨는 점차 마음을 열고 자신의 성격을 긍정적으로 인정하게 됐다. 가끔 공격적인 친구에게 질책을 받고 힘들어하기도 했지만 전보다 훨씬 쉽게 그 시기를 이겨냈고, 회복하는 시간도 빨라졌다. 더욱 다행인 것은 친구와 함께하던 일자리를 정리하고 이직을 한 일이다. 자신과 부딪치던 친구와 멀어지며 보람 씨는 상당히 호전됐다.

자기 MBTI를 알게 되면 자신이 무엇을 원하고 좋아하는지를 확인할 수 있고, 이를 바탕으로 다른 사람의 성격 역시 이해하고 존중하게 되어 대인관계가 부드러워진다. 세상 모든 사람이 단순히 열여섯 가지 유형으로만 구분될 수 없다는 것을 누구나 알고 있을 것이다. 다만 나와 남의 공통점과 차이점을 좀 더 잘 파악하고 존중하기 위해 MBTI 검사의 도움을 받을 수 있을지도 모른다. 이때 우리가 주의해야 할 점은 검사 결과를 맹신하여 경솔하게 사람을 평가하지 않는 것이다.

외향형 성격인데 소심할 수도 있나요?

: MBTI

MBTI에 대한 관심이 커지면서 MBTI 성향별 유튜브 영상들도 인기다. 그중 '외향형과 내향형의 차이'라는 제목의 영상이 눈에 띄었다. 주문한 음식이 잘못 나왔을 때 유형에 따라 어떻게 반응하는지 보여주는 내용이었다.

잘못 나온 음식에 대해 항의하는 외향형과 달리 내향형은 계속 고민하다가 결국 이야기하지 못하고 잘못 나온 음식을 먹는 것으로 끝났다. 외향형과 내향형의 차이가 아닌 소심하고 수줍어서 자기주장이 어려운 사람과 그렇지 않은 사람의 차이를 보여줬다는 생각이 들었다. 흔히 내향형을 소심하고 수줍음이 많은 사람으로 생각한다. 하지만 내향성과 소심함을 하나의 성격 특성으로 묶어도 될까?

MBTI의 첫 번째 지표인 외향형(E)과 내향형(I)은 본래 칼 구스타프 융Carl Gustav Jung에 의해 정의된 '마음의 에너지 방향'을 뜻한다. 외향형과 내향형의 차이는 인간관계나 사회생활 속에서 자연스럽게 드러난다. 외향형은 각종 모임을 즐기며 적극적으로 참여하는 것을 보람으로 여긴다. 사람들로부터 삶의 에너지를 얻기 때문이다. 그렇다 보니 외향형 사람들에게는 친구도 많고 오라는 곳도 많다.

이러한 외향형의 약점은 혼자 보내는 시간을 못 견딘다는 점이다. 약속이 없어 혼자 있게 되면 외로움을 참지 못해 안절부절못하기도 한다. 밖에서는 활기가 넘치지만 조용한 곳에 혼자 있기가 어려워 밖에 나가 산책이라도 해야 스트레스가 풀리는 성격이다.

이와는 반대로 내향형은 사람들과 많이 접촉하면 자신의 에너지가 방전되어 버린다. 밖에서 에너지를 뺏긴다는 표현이 딱 들어맞는 내향형은 그래서 조용히 혼자만의 공간에서 재충전할 시간을 가져야 한다. 밖에서 자극을 얻는 것보다 자신의 내면세계에 충실한 성향이라는 뜻이다. 혼자 조용히 시간을 보내는 것을 선호하고 믿을 만한 몇 명의 친구와 깊은 관계를 유지한다.

밖의 세계와 어울리기 힘들어하고 소극적이며 답답해 보이는 내향형의 장점은 신중하고 혼자 있는 시간도 편하게 보낼 수 있다는 점이다. 영국 정신과 의사인 앤서니 스토는 "혼자 있을 수 있는 능력의 발달은 뇌가 최상의 상태로 작동하는 데에도, 개인이 최고의 잠재력을 실현하기 위해서도 필요하다."며 내향형의 장점을 높이 평가하기도 했다.

외향적인 사람들이 내향적인 사람들에 대해 오해하는 부분이 있다. 새로운 사람과 관계를 맺는 것에 서툰 내향적인 사람들이 무조건 사람 만나기를 싫어한다고 착각하는 점이다. 그러나 내향적인 사람들은 외향적인 사람들과 다른 방식의 만남을 선호하는 것이지 결코 사람 만나는 것을 싫어하는 건 아니다. 외

밖의 세계와 어울리기 힘들어하고

소극적이며 답답해 보이는 내향형의 장점은

신중하고 혼자 있는 시간도

편하게 보낼 수 있다는 점이다.

Lee
Re

향적인 사람은 낯선 사람들과 쉽게 친해지지만 내향적인 사람은 익숙한 사람과의 지속적 만남을 훨씬 더 선호한다. 또한 외향적인 사람들은 여러 사람과 동시에 만나는 것을 좋아하는 반면 내향적인 사람들은 일대일의 긴밀한 관계를 더 선호한다. 이처럼 내향적인 사람과 외향적인 사람은 좋아하는 사회적 관계에서 차이가 있는 것이다.

결국 외향형과 내향형은 사회성의 차이가 아닌 에너지 방향의 차이라고 볼 수 있다. 활발한 E라고 해서 항상 주도적으로 관계를 이끄는 것도 아니고, 내성적인 I라고 해서 타인과의 관계를 무조건 회피하는 것도 아니다. E도 가끔은 모임에 나가는 일이 귀찮을 수 있고, I도 어떤 외부 활동에는 호기심과 관심이 크게 생길 수 있다. 때문에 '조용히 한쪽에 있는 저 사람은 I 타입 같다.'는 식으로 다른 사람을 평가하면 곤란하다. MBTI 유형은 남에게 보이는 것이 아닌 본인이 느끼는 에너지 방향에 따라 결정되기 때문이다.

내향적인 사람들이 수줍음이 많고 소심하다는 것도 오해다.

수줍음은 대인관계를 맺을 때나 대중 앞에서 불안과 긴장을 느끼는 정서 상태를 뜻한다. 수줍음이 많은 사람은 상대방에게 평가받는 상황이 큰 스트레스이기에 스트레스 호르몬에 의한 반응으로 얼굴이 빨갛게 변하고 가슴이 두근거리며 손이 떨리는 등의 신체 변화를 보일 수 있다. 남들이 나를 어떻게 볼지 신경을 많이 쓴다면 그만큼 에너지가 사용되는 것이기 때문에 사람을 만나고 돌아오면 지친다. 그래서 수줍음이 많은 사람을 내향형인 사람이라고 생각할 수 있지만 칭찬이나 인정, 위로나 공감, 유대관계 등이 보상이 되어 에너지를 얻는 것이 크고 의식의 방향이 외부로 향해 있다면 외향형일 수 있다. 즉, 수줍음이 많은 외향형 사람, 수줍음이 적은 내향형 사람 모두 존재하는 것이다.

대인관계에서뿐만 아니라 작은 일에 마음을 쓰며 지나치게 조심히 행동하는 것을 가리켜 소심하다고 한다. 그 반대의 성격이 대범함인데 사소한 것에 얽매이지 않고 여유가 있는 대범함을 소심함보다 더 높게 평가하는 경우가 흔하다. 빠른 문제 해결에 장점이 있고 자기주장을 잘하는 모습이 매력적으로 보이기 때문이다. 그러나 소심함이 대범함보다 열등한 성격은 아니다.

돌다리도 무너질까 두드려보며 신중한 태도를 취해서 오히려 실수를 덜 하게 된다는 장점도 있기 때문이다.

게다가 소심한 사람은 부정적인 결과를 먼저 추측하는 경향이 있다. 나도 내 능력에 믿음이 부족하고 잘못될 것을 먼저 생각하는 소심한 면이 있다. 큰 시험에서는 항상 긴장하다 보니 평소 성적에 못 미치는 결과를 받았고, 결국 첫 수능에 실패해 재수했다. 정신건강의학과 전공의 수련 시절에도 '적응을 잘 못하면 어떡하지? 따돌림당하거나 교수님 눈에 벗어나 수련이 어려워지는 것은 아닐까?'와 같은 미래에 대한 불안으로 전전긍긍했다. 그러나 내가 걱정했던 주변 사람들은 나에게 거의 관심이 없었고, 나의 미숙함과 실수를 크게 비난하지도 않았다. 동기들에 비해 적응이 늦었고 잘못으로 혼나는 일도 많았지만 걱정했던 만큼의 큰일은 일어나지 않았다.

소심한 사람은 대범한 사람의 여유를 부러워하고, 대범한 사람은 소심한 사람의 세심함을 닮고 싶어 한다. 마찬가지로 내향형인 사람은 많은 사람과 편하게 어울리는 외향형의 사람처럼 되고 싶어 하고, 외향형인 사람은 누구에게 의지하지 않고 독립적인 내향형을 멋지다고 느끼기도 한다. MBTI는 능력을 진단하는 도구가 아닌 '선호'에 대한 검사다. 사람마다 제각기 조금씩 다를 뿐 더 좋은 성향이나 더 나쁜 성향은 없는 것이다. 성격을 나누는 것은 나와 다른 사람들을 더 잘 이해하기 위해서라는 것을 기억하자. MBTI에서 같은 지표에 해당하더라도 개개인은 모두 다르기 때문이다.

저만 혼자
최선을 다하는 것 같아요
: 애착 유형 검사

애착 유형 검사가 MBTI 검사 못지않은 트렌드로 떠올랐다. 육아법을 코칭하는 한 TV 프로그램에서 '성인 애착 유형'을 주제로 다루었을 때는 성인 애착 유형 검사를 받고자 병원을 찾는 내원자가 급증했을 정도였다. 열기가 진정되긴 했지만 요즘에도 애착 유형에 대한 상담이 꾸준히 이어지고 있다.

아름 씨는 우울증으로 수개월째 치료를 받고 있다. 아름 씨의 남자친구인 수혁 씨도 불면증으로 몇 차례 병원에 내원해서 진료한 적이 있기에 연인인 두 사람을 자연스레 파악하고 있었다. 아름 씨는 상담 시간에 남자친구와 만나면서 힘들다는 이야기를 자주 호소했다.

항상 남자친구와 함께 시간을 보내고 싶었던 아름 씨는 일주일에 5일을 퇴근하고 남자친구와 함께 시간을 보냈다고 한다. 그런데도 아름 씨는 남자친구와의 시간이 성에 차지 않았다. 주말에 남자친구가 가족을 만나거나 친구들과 시간을 보내는 것조차 싫었던 것이다. 본인 외 누구도 만나지 않고 온전히 자신에게만 시간을 쏟고 모든 일에서 자신이 우선이었으면 좋겠다는 것이 아름 씨의 마음이었다.

"제가 하는 만큼 남자친구가 저와의 관계에 최선을 다했으면 좋겠어요."

자신에게 모든 시간을 쏟지 않는 점과 함께 남자친구가 자신과 같이 있는 동안 애정표현을 원하는 만큼 충분히 해주지 않는 것도 불만이었다. 그가 속마음을 일일이 털어놓지 않고 숨기는 것 같아 답답하다고도 했다. 힘들면 뭐가 힘든지, 좋으면 뭐가 좋은지 모든 속마음을 다 알고 싶은데 남자친구는 도통 이야기를 해주지 않는다고 했다. 아름 씨는 남자친구가 속내를 잘 드러내지 않는 것도 본인에게 최선을 다하지 않는 증거라며 슬퍼했다.

아름 씨의 우울 증상이 호전되지 않는 이유 중 남자친구와의 관계에서 오는 스트레스가 큰 부분을 차지하는 것으로 진단하고 커플 상담을 권유했다. 아름 씨와 수혁 씨는 한참 고민하다 결국 심리 상담센터에서 상담을 받았다. 상담센터에서 시행한 여러 가지 검사 결과 중 성인 애착 유형 검사 결과를 나에게 보여줬다. 검사 결과 아름 씨는 몰입형, 남자친구는 회피형의 애착 유형이었다.

애착은 어떤 대상을 아끼고 사랑해서 떨어지지 않으려는 마음이다. 사람에 대한 애착이 가장 크지만 좋아하는 일이나 물건도 대상이 될 수 있다. 아기들이 엄청나게 아끼고 손에서 놓지 않으려는 인형을 '애착 인형'이라고 한다. 애착 인형은 속상한 일이 있거나 긴장될 때 아이에게 안정감을 준다. 이처럼 애착은 익숙한 환경을 떠나 새로운 환경으로 나가는 데 중요한 역할을 한다.

애착의 형성은 생후 1년간이 가장 중요하다고 알려져 있다. 아기는 돌봐주는 사람 없이는 살 수 없기 때문에 양육자와 특별한 애착 관계를 갖게 되며 이 시기에 형성된 관계의 틀은 성인이 된 후에도 성격과 대인관계 등에 영향을 남긴다.

기존의 애착 이론을 성인에게 확장한 것이 '성인 애착 이론'이다. 성인의 애착 유형도 기존의 애착 유형과 마찬가지로 크게 안정 애착과 불안정 애착으로 나뉜다. 불안정 애착은 다시 집착형, 회피형, 혼란형으로 나뉜다. 자신과 타인을 어떻게 바라보는지에 따라 관계의 양상이 달라지는데 자신과 타인, 긍정과 부정을 조합하여 총 네 가지로 애착을 분류한다.

안정형은 자신과 타인을 긍정적으로 바라보는 애착 유형이다. 불안정 애착은 자신에겐 긍정적이지만 타인은 부정적으로 보는 유형인 '거절-회피형', 자신에겐 부정적이고 타인은 긍정적으로 보는 유형인 '몰입형', 나와 상대 모두를 부정적으로 바라보는 유형인 '혼란형'으로 나뉜다.

회피형인 수혁 씨는 혼자 있는 시간이 가끔은 더 편한 사람이다. 이전에는 연애를 하더라도 일주일에 한 번 정도 만났지만, 더 자주 만나기를 원하는 여자친구에게 맞추느라 퇴근 후 잠깐이라도 매일 시간을 내어 만남을 가졌다. 이렇게 노력을 많이 했는

⋮

애착은 어떤 대상을 아끼고 사랑해서

떨어지지 않으려는 마음이다.

사람에 대한 애착이 가장 크지만

좋아하는 일이나 물건도 대상이 될 수 있다.

⋮

데도 아름 씨가 최선을 다하지 않았다며 비난하자 수혁 씨는 억울한 마음이 들었다. 그러나 이런 마음을 표현할 수 없었다. 회피형은 감정표현을 잘 하지 않는 경향이 있기 때문이다. 표현을 어떻게 하는지도 모르지만 애초에 기분이 어떤지 잘 알지 못하는 경우가 많다. 용기 내서 감정을 표현했다가 상처받은 경험은 수혁 씨가 감정표현하는 것을 더욱 어렵게 만들었다.

수혁 씨와 같은 '회피형'은 자신은 높게 평가하지만 타인을 믿지 않는 마음이 깔려 있다. 관계에서 거절당한 경험, 어려서 부모에게 외면당한 경험이 쌓이면 성인이 되어 상대에게 먼저 손을 내밀지 못하는 회피형 애착을 만들 수 있다.

아름 씨의 애착 유형은 몰입형이다. 몰입형 애착 유형은 자신을 부정적으로 여기고 타인을 긍정적으로 인식한다. 다른 사람과 친해지려 노력하며, 다른 사람들이 자신을 싫어하게 될까 봐 걱정하고, 상대방이 떠나려는 모습을 보이면 붙잡기 위해 애를 쓰는 사람들이 이 유형에 해당한다. 아름 씨의 경우 자신에 대한 부정적인 인식이 수혁 씨와의 관계에 더욱 집착하게 했을 가능성도 있다.

자신과 타인 모두를 부정적으로 보는 '혼란형'은 모두를 믿을 수 없기에 대인관계가 너무나 힘들다. 다른 사람과 가까워지고 싶은 마음이 없는 것은 아니지만 관계에서 상처를 받을까 봐 두려워 관계를 맺는 시도 자체가 힘든 사람들이 혼란형에 많다.

애착은 정서적 안정성을 넘어 대인관계와 같은 사회생활에까지 영향을 준다. 불안정형 애착이 심한 경우 불안정한 대인 관계를 반복적으로 경험할 가능성이 높다. 자신의 애착 유형이 안정적이지 않을 것이라 지레짐작하는 사람에게 애착 유형 검사를 실시해보면, 본인의 생각과 달리 안정형 애착 유형일 때가 훨씬 많다. 자신을 부정적으로 평가했을 때와는 달리 약 65%가 실제 검사에서 안정적 애착이라는 결과가 나오는데, 지속된 학대나 무관심 속에서 자라지 않은 이상 대부분 안정적 애착을 형성하고 있음을 확인할 수 있다.

아름 씨와 수혁 씨는 상담 센터에서 매주 상담을 받고 있다. 애착 유형을 알아본 것이 서로를 이해하는 데 큰 도움이 되었다고 한다. 상담을 받기 전 진료실에서 면담을 할 때도 "수혁 씨는 이미 아름 씨에게 최선을 다하고 있어요. 아쉬운 부분보다는 노력하고 있는 부분을 알아주셔야 서로가 덜 힘드실 거예요."라는 이야기를 아름 씨에게 몇 차례 했다. 그럼에도 믿지 않던 아름 씨는 수혁 씨의 애착 유형이 회피형이고 감정표현을 안 하는 것이 아니라 못 하는 것이었다는 것을 안 뒤에야 남자친구가 최선을 다하고 있다는 것을 진심으로 받아들이게 됐다. 남자친구는 전과 비슷하지만 아름 씨는 마음이 편해졌고 우울 증상이 한결 호전됐다.

애착 이론이 유행할수록 부모는 안정된 애착을 만들기 위한 부담이 커진다. 아이가 불안해하는 모습을 보이면 죄책감에 힘들어하기도 한다. 더 안정적인 애착 형성을 해줘야 한다는 강박이 양가적 애착을 만들 수 있는데, 약 65%가 안정적인 애착이라는 연구 결과가 있는 만큼 잘 키워야 한다는 부담감을 내려놓았으면 한다. 어떻게 아이를 키워야 할지 고민하는 사람들은 대부분 좋은 부모다.

애착 유형은 성격과 마찬가지로 쉽게 바꿀 수는 없지만 바꾸려고 노력한다면 조금씩 달라질 수 있다. 부모와의 관계를 시작으로 아이는 선생님, 친구 등 많은 사람과 대인관계를 맺으면서 계속 애착 유형을 수정하게 된다. 반대로 안정된 애착 유형이 형성됐던 경우라도 크고 작은 대인관계에서의 트라우마로 인해 불안정 애착으로 변할 수도 있다.

성격 검사에서처럼 애착 유형 검사가 유사한 대인관계 패턴을 일반화해서 이해하는 데 도움이 될 수는 있지만, 하나의 유형이 그 사람의 모든 개인적인 특성들을 설명해주지는 못한다는 것을 기억하자. 특정 유형의 사람이 어떤 성향을 가지고 있는지 참고하는 정도로 검사 결과를 인지한다면 아름 씨와 수혁 씨처럼 자신과 상대를 파악하고 서로의 관계를 이해하는 데 큰 도움이 될 것이다.

전 정말 괜찮은데 몸이 왜 아픈가요? : 방어기제

그 사람이 어떤 사람인지 알아보려 할 때 보통 MMPI, TCI 등의 성격·인성 검사를 시행한다. 더불어 그가 어떤 방어기제를 사용하는지도 한 사람을 파악하는 데 중요한 정보가 된다.

평안한 일상을 유지하고 있을 때는 드러나지 않던 그 사람의 모습이 문제 상황이나 갈등 상황에서 튀어나올 때가 있다. 의과대학 학생 때는 원만한 성격으로 좋은 평을 듣던 동기나 선후배들도 힘든 과에 근무하게 되면 전혀 다른 모습을 보이곤 한다.

동료나 환자에게 크게 화를 내거나 맡은 일을 미루고 동료에게 떠넘기거나 잠적할 때도 있다. 이처럼 아무런 문제점이 없어 보이던 사람이 힘든 상황에서 인격이 변한 것처럼 드러나는 예상치 못한 대처 방식이 그 사람의 방어기제다.

머리가 아프고 소화가 되지 않는데 검사를 해봐도 이상이 없어서 정신건강의학과 진료를 권유받았다며 지원 씨가 진료실을 찾았다. 지원 씨는 바쁜 업무가 해결되어 한가한 시간을 보내는 중이었다. 누가 봐도 힘들 상황이 아니기에 지금 자신이 힘들 리 없고 그래서 더욱 아픈 것이 이해되지 않는다고 했다. 좀 더 자세히 물어보니 막상 일을 놓고 있으니 불안하고, 심지어 잘못인 것 같다는 마음을 드러냈다. 지원 씨에게는 충분히 힘들 수 있는 상황이었는데 스스로 인정하지 못했고, 신체증상으로 정신건강의학과에 내원한 것도 받아들이기 어려워했다.

자기 자신을 있는 그대로 바라보고 제대로 알기 위해서는 무엇보다도 무의식 속에서 패턴화되어 자리 잡은 감정을 꺼내는 것이 중요하다. 패턴화된 감정은 방어기제로 일상을 지배하게 된다. 지원 씨가 주로 사용하는 방어기제는 '신체화'와 '억압'이었다. 여러 가지의 방어기제 중 불편한 감정이나 충동을 무의식 중에 억누르는 방어기제가 억압이다. 심리적인 갈등이 의식적으로 표출되지 않고 신체증상으로 나타나는 방어기제인 신체화와 억압은 붙어 다니는 경우가 많은 편으로, 공통점은 갈등이 의식적으로 표현되지 않는다는 것이다.

그렇다면 방어기제에는 어떤 유형들이 있을까. 자아가 위협받는 상황에서 무의식적으로 자신을 속이거나 상황을 다르게 해석하여 감정적 상처로부터 자신을 보호하려는 심리나 행위인 방어기제를 이해하기 위해서는 먼저 프로이트가 주창한 인간 정신 구성요소인 이드(본능), 에고(자아), 슈퍼에고(초자아)에 대한 이해가 필요하다.

이들 중 절대적인 부분을 차지하는 이드, 즉 본능은 무의식 속에 있고, 스스로 판단하고 행동하는 기능인 에고(자아)와 슈퍼에고(초자아)는 무의식과 의식에 걸쳐 있다. 무의식적인 자아의 기능 중 가장 중요한 것이 바로 방어기제다. 프로이트는 방어기제가 이드에 뿌리를 둔 강력하고 본능적인 욕구로 특히 성적 욕구나 공격성에 대항하는 역할을 한다고 했다.

길에서 마음에 드는 사람을 마주치면 시선이 가고 '전화번호라도 물어볼까?'로 시작해서 '저런 사람과 계속 함께 있으면 어떨까?' 하고 생각하는 것이 이드의 활동이다. '자세히 보니 저 사람은 바람기가 많아 보이네. 괜히 만났다가 상처만 받을 거야.' 하며 자존심을 지키는 적당한 이유를 만들어 포기하는 것이 방어기제 '합리화'다. 이러한 방어기제의 기능으로 인해 창피나 모욕을 당하지 않고 자신을 안전하게 지키게 되는 것이다.

내가 많이 사용했던 방어기제는 중요한 시험이나 발표를 앞두면 배가 아파 화장실에 가야 했던 '신체화'였다. 심리적인 어려움이 신체증상으로 나타났을 때의 장점은 다른 사람에게 위로나 공감을 얻을 수 있고 자연스레 힘든 상황을 피할 수 있다는 점이다. 나에게는 스트레스 상황에서 배가 아프고 화장실에 자주 가는 것이 자연스러운 생리현상이기도 했지만, 시험 결과가 잘 나오지 않았을 때는 '배가 아파서 최상의 컨디션이 아니어서 그래. 안 아프면 더 잘할 수 있었어.'라며 자기합리화를 가능케 하는 수단이기도 했다.

도저히 수용 불능인 상황이나 결과 앞에서 정당한 이유를 붙여 자존감을 보호하려는 합리화를 설명할 때 가장 대표적으로 회자되는 에피소드가 이솝우화에 등장하는 『여우와 신 포도』다. 몹시 배고픈 여우 한 마리가 먹을 것을 찾아 헤매다 포도밭을 발견했다. 그런데 먹음직스러운 포도는 도저히 여우가 따먹기엔 불가능한 높은 가지에 달려 있었다. 포도를 따기 위해 나무를 흔들어 보고 힘껏 뛰어도 봤지만 아무리 애를 써도 포도에 닿을 수가 없었다. 결국 포도를 따지 못한 여우는 포도밭을 떠나면서 중얼거렸다. "그래, 저 포도는 어차피 익지 않은 신 포도라 따봤자 먹을 수 없었을 거야." 자기가 원하는 것을 얻지 못했을 때 상처를 덜 받으려면 여우처럼 합리화를 택하는 것도 괜찮은 방어기제다.

독일의 소설가이자 풍자 시인으로 유머가 넘치는 작품을 썼던 에리히 캐스트너는 이솝우화 『여우와 신 포도』를 그의 방식대로 비틀어 재구성했다. 현대판 『여우와 신 포도』의 이야기는 이렇게 변했다.

배고픈 여우가 먹을 것을 찾아 돌아다니다가 포도밭을 발견한다. 여우는 포도밭에 들어가 탐스럽게 열려 있는 포도송이를 향해 점프했다. 마침내 여우는 포도를 따는 데 성공했고 그를 지켜보던 많은 동물들은 손뼉을 치고 환호를 보냈다. 그런데 여우가 포도를 먹어보니 심하게 신맛이었다. 그러나 여우는 환호하는 동물들 앞에서 포도가 시다고 불평할 수가 없었다. 여우는 "정말 이렇게 달고 맛있는 포도가 있다니, 정말 달고 맛있는 포도구나."라고 거짓 탄성을 지르며 시어서 먹기 힘든 포도를 계속 먹다가 위궤양에 걸려 죽고 말았다. 능력을 인정받고 다른 동물들을 실망시키고 싶지 않았던 여우는 고통을 표현하지 못하고 억압하다 병을 얻게 된 것이다.

방어기제의 종류는 이외에도 여러 가지가 있다. 우선 바람둥이가 결백한 상대 파트너를 의심하는 것처럼 받아들이기 힘든 충동이나 욕구를 도리어 다른 사람에게 덮어씌우는 '투사', '종로에서 뺨 맞고 한강에서 화풀이한다.'는 속담이 꼭 들어맞는 '전치', 죄책감을 줄이려고 이미 저지른 행동을 무마하려 속죄 행동을 하는 '취소', 자기 불안에서 벗어나기 위해 휘두르는 폭력 등의 충동적 행동을 벌이는 '행동화'가 있다. 또한 두려움의 대상과 닮은 행태를 보이며 두려움을 극복하고 자존감을 회복하려는 '동일시', 자신에게 닥친 불안과 갈등에서 벗어나려고 과거

·
·
·
·
·

결국 포도를 따지 못한 여우는

포도밭을 떠나면서 중얼거렸다.

"그래, 저 포도는 어차피 익지 않은 신 포도라

따봤자 먹을 수 없을 거야."

자기가 원하는 것을 얻지 못했을 때 상처를 덜 받으려면

여우처럼 합리화를 택하는 것도 괜찮은 방어기제다.

·
·
·
·
·

의 발달 단계로 되돌아가는 '퇴행'이 있다. 동생이 태어나면서부터 형이 갑자기 대소변을 가리지 못하는 행동 역시 퇴행 방어기제의 예다.

'반동 형성'은 대항해야 할 대상에게 오히려 허리를 굽히는 행동처럼 이기기 힘든 괴로움을 자신의 감정과 상반되는 행동으로 은폐하려는 방어기제다. 이는 '동일시'와 반대 모습을 보여준다. 지금까지의 예시는 자아의 기능이나 자존감 낮은 경우 작동하는 '미성숙한 방어기제'로 분류한다. 그리고 심리적인 안정감을 돕는 '성숙한 방어기제'가 있다. 그 예로 자신의 욕구를 누르고 타인을 돕는 행위로 대리만족을 얻는 '이타주의', 금욕을 통해 더 큰 만족을 얻는 '금욕주의', 본능적인 욕구를 차단하거나 억제하는 대신 예술이나 스포츠 같은 사회적으로 인정받는 활동으로 방향으로 바꿔 배출하는 '승화', 긴장이나 불안을 농담과 유머를 통해 방어하고 해소하는 '유머' 등이 대표적인 방어기제의 유형들이다. 이 많은 유형 중 자신은 어떤 방어기제를 많이 사용하고 있는지 찬찬히 들여다보면 자기도 몰랐던 본인을 더 잘 이해하게 될 것이다.

일을 놓고 쉬면 불안하다며 진료실을 찾았던 지원 씨는 '힘들면 안 된다.', '쉬면 안 된다.' 등 어떤 상황에서 어떻게 느끼고 어떻게 행동해야 하는지를 정해 놓고 그 모습과 다르면 '억압'하는 패턴의 반복이 불안의 원인이었다. 어린 시절 잘못하지 않은 것으로도 심하게 야단맞았던 경험이 성인이 된 지금까지 영향을 끼친 것이다. 그는 힘들지 않았던 것이 아니라 지금 상황에서는 힘들면 안 된다고 생각했던 것뿐이다. 그리고 그 생각이 스트레스의 원인을 찾는 데 방해 요소로 작용했다.

그의 마음을 해석해주자 지원 씨는 울음이 터졌다. 그런데 그는 눈물을 흘리면서도 "슬픈 것도 아니고 괴로운 것도 아닌데 왜 눈물이 나오는지 모르겠다."면서 눈물을 흘려야 하는 어떤 상황이나 마음이 있어야 눈물이 나는 것이 아니냐고 물었다. 그 말에 오랫동안 억압됐던 지원 씨의 마음을 더욱 깊게 공감할 수 있었다. 지원 씨는 꾸준한 상담을 통해 조금씩 마음을 열었다. 자신의 마음을 이해하고 공감받는 과정에서 지원 씨의 통증과 불안감은 본인도 놀랄 만큼 크게 호전됐다.

지원 씨의 방어기제였던 억압과 신체화는 그가 갈등 상황에 적응할 수 있게 도왔다. 방어기제를 이해할 때는 성숙한 방어기제가 아니더라도 그것이 자신을 괴롭히거나 위험에 빠뜨리려는 것이 아니라 스스로 방어하기 위한 수단임을 아는 것이 중요하다.

사람은 상황에 따라 미성숙한 방어기제에서부터 성숙한 방어기제까지 다양한 방어기제를 사용한다. 실제로 상담하면서는 어쩔 수 없었다며 과거를 인정해주는 '합리화'나 내 탓이 아니라 남이나 상황을 탓하는 '투사'를 좀 더 사용하도록 권한다. 어쩌다 한 번씩 미성숙한 방어기제를 사용한다고 해서 자아의 기능이 떨어진다고 볼 수는 없다. 다만 반복해서 미성숙한 방어기제를 사용하고 그로 인해서 자신이 오히려 더 괴로워지거나 다른 사람과의 관계에서 갈등이 심해지는 상황이 오지 않도록 경계할 필요는 있다. 지원 씨와 『여우와 신 포도』의 여우가 스스로 지나치게 억압만 하다가 신체증상으로 더 괴로워진 것처럼 막다른 길로 자기 자신을 내몰지 않았으면 한다. 결국 가장 중요한 것은 정신과 마음이 어떤 필요에 의해 방어기제와 같은 장치를 작동시켰는지 스스로 면밀히 살피는 일일 것이다.

내가 아니라 내 손이 물건을 던졌어요 : MMPI와 SCT

재민 씨는 얼마 전 충동적으로 집에 있는 물건을 집어 던져 부수고 말았다. 그의 행동에 크게 놀란 가족들이 재민 씨에게 먼저 병원에 가보라고 권했다. 상담을 받으러 온 그는 사는 것이 너무 힘들다며 고통을 토로했다.

재민 씨는 군대를 마치고 갓 복학한 대학교 3학년생이었다. 그는 입대 전 1, 2학년 때 동아리 활동과 학과 행사에 적극적으로 참여하며 즐겁게 대학생활을 보냈다. 그런데 군대에 다녀와

복학을 하니 주변 상황이 크게 바뀌어 있었다. 학우들은 이미 필요한 자격증을 딴 후 취업을 위해 인턴 경험 등의 스펙을 쌓고 있었다. 재민 씨는 그들을 보며 자신도 정신차리고 공부해야겠다는 생각이 들었다. 그래서 동아리, 학과활동 등을 모두 접고 공부에만 매진했다.

그런데 노력을 해도 원하는 결과가 나오지 않았다. 조별 활동 중 생각처럼 따라오지 않는 조원에게 분노가 치밀곤 했는데, 며칠 전 그 조원과 전화 통화를 한 뒤 화를 참지 못하고 집에 있는 물건을 부수며 소리를 지르고 말았다. 아들이 거칠게 날뛰는 모습에 가족들은 놀라 어찌할 바를 몰라 했다. 얼결에 일을 저지른 재민 씨 본인도 자신의 행동에 놀라 충격을 받았다.

"잘하려는 마음은 좋은데 그 마음이 지나친 것 같아요. 잘해야 한다는 강박으로 인해 힘들어 보이네요." 재민 씨의 상태를 설명하며 조언을 했으나 그는 오히려 반박했다.

"이 정도 마음먹지 않으면 안 돼요. 안 그러면 인생 망할걸요. 모두 다 이 정도는 하고 있지 않나요?"

재민 씨는 책임감이 과도하게 크고, 자신이 세운 기준이 높아 자책하는 성향이었다. 그에게 이러한 부분을 더 잘 이해할 수 있도록 전하고자 미네소타 다면적 인성 검사 MMPIMinnesota Multiphasic Personality Inventory와 문장 완성 검사 SCTSentence Completion Test를 진행했다. MMPI 검사의 임상 척도는 모두 10개로 분류한다.

척도 1 건강염려증H, Hypochondriasis

척도 2 우울증D, Depression

척도 3 히스테리Hy, Hysteria

척도 4 반사회성Pd, Psychopatic Deviate

척도 5 남성성-여성성Mf, Male-Female

척도 6 편집증Pa, Paranoia

척도 7 강박증Pt, Psychasthenia

척도 8 정신분열증Sc, Schizophrenia

척도 9 경조증Ma, Mania 열의

척도 10 사회적 내향성Si, Social introversion

MMPI를 통해 알 수 있는 정보들이 많다. 정신적으로 불편한 정도, 현재 기능 수준과 주변 환경에 대한 적응도, 방어기제, 성격성향 등을 알 수 있다. 검사 결과를 보며 일관적으로 답을 했는지, 얼마나 자신에 대해 숨기거나 과장해서 표현하는지를 알 수 있는 것도 MMPI 검사의 또 다른 재미다. 내가 정신건강의학과 전공의 지원을 했을 때도 면접과 MMPI 검사를 시행했다. 보통 1시간 반에서 2시간 정도 걸리는 MMPI 검사지를 작성하는 동안 긴장이 됐다. 좋은 모습을 보여주려 하다 보니 나중 결과에서 스스로를 포장하는 척도의 점수가 높게 나와 부끄러웠던 기억이 난다. 해군 군의관으로 복무하면서 부사관 면접을 담당했는데 그때도 MMPI를 사용했다. 면접 전 시행한 MMPI 검사 결과를 임상심리전문가와 함께 보면서 인성 면접을 진행했다.

외상 후 스트레스 장애PTSD를 빠르게 측정하기 위해 개발한 MMPI는 자기 보고형 심리검사로 일련의 문항들에 응답하게 한 후 PTSD 집단과 아닌 집단을 구별해주는 문항을 선별해 평가의 기준으로 삼았다. 그런데 시간이 지나며 MMPI 검사가 정신장애의 진단 뿐 아니라 예상치 않게 검사자의 성격 특성을 파악할 수 있다는 사실을 발견했다. 이후 정신장애가 없는 일반인들에게도 유용한 검사로 자리 잡게 됐다. MMPI는 검사 문항이 많고 검사 시간도 오래 걸리지만 그만큼 타당도와 신뢰도가 높고 알 수 있는 정보가 많다. 그 때문에 정신건강의학과나 심리상담센터뿐 아니라 학교나 군대, 직장의 직무 적합성 판단, 범죄자의 심리적 특성을 측정하기 위한 법적 판단 등에까지 널리 사용된다. 게다가 건강보험이 보장될 정도로 현재까지 숱하게 시행되어 근거가 충분한 검사이기 때문에 진료실에서 MMPI와 SCT를 가장 많이 쓰는 편이다.

현재는 처음 검사를 개발했던 1940년대와 큰 차이가 있어 10가지 척도의 대부분을 척도 점수 자체만으로 심각한 장애라 평가하지 않기 때문에 각각의 명칭보다 간단한 번호로 부른다.

재민 씨의 MMPI 검사 결과는 우울, 강박 척도가 높은 7-2 유형이었다. 보통 우울과 불안, 강박을 같이 느끼는 경우가 많은데 재민 씨는 특히 7번이 높았다. 4번 척도도 높았는데 충동적으로 분노를 표현한 뒤 죄책감을 느끼고 있는 것으로 나타났다. 4-7 유형의 경우에는 분노를 통제하려 과도하게 노력하다 결국 다시 터트리고 자책하는 패턴을 보이는 경향이 있다.

검사 결과를 통해 본인의 성향을 서서히 인정하게 된 재민 씨는 현실적으로 자신이 스스로 어느 정도 통제할 수 있을지 알고 싶어 했다. 이때 활용할 수 있는 것이 투사적 문장 완성 검사인 SCT 검사다.

심리검사는 '객관적 검사'와 '투사적 검사'로 나뉘는데 객관적 검사는 실시가 간편하고 고정적인 결과가 나와 해석이 용이한 반면 검사를 하는 사람의 독특한 반응이나 섬세한 특징을 알아보지 못하는 단점이 있다. 이러한 부분을 보완해주는 검사가 바로 SCT 검사다. 이 검사는 가족, 성, 대인관계, 자기개념에 대한 내용이 복합된 50개의 미완성 문장으로 구성되어 있다. 예를 들어 "성공한 사람을 보면 나는 ________" 처럼 비어 있는 문장을 완성하도록 하는 것이다.

SCT 검사의 강점은 '이런 것까지 물어보다니.' 싶을 정도로 민감한 내용들이 투사되어 자신의 심층적인 마음과 무의식까지도 들여다볼 수 있게 된다는 점이다. 다만, 검사 결과에 대한 해석의 척도가 객관적으로 존재하지 않기 때문에 정확하게 해석하기 위해서는 전문성이 높아야 한다.

바람직한 심리, 성격 검사는 객관적 검사와 투사적 검사가 잘 혼합된 검사다. 검사를 진행하는 전문가는 두 검사를 종합하여 피검자의 심리상태를 통합적으로 해석하고 내담자가 잘 받아들일 수 있도록 전해야 한다.

SCT 검사를 통해 재민 씨가 세상을 어떻게 바라보고 있는지에 대한 많은 정보와 단서를 얻을 수 있었다. 재민 씨는 가장 기억나는 어렸을 적 기억이 쉬운 받아쓰기 문제를 틀렸던 것이라고 했다. 재민 씨가 완성한 문장들을 보며 '잘해야 한다'는 그의 강박이 어렸을 때부터 굳어져왔을 가능성이 높다는 것을 알 수 있었다.

투사 검사까지는 아니더라도 무의식, 중요하게 여기는 것을 알기 위해 10년 뒤의 나에게 쓰는 편지를 권하기도 한다. 편지의 내용은 각양각색이다. 누군가는 10년 후 가족과 함께 있는 모습을 상상하고, 또 다른 사람은 그동안 고생한 자신에 대해서 토닥여주기도 한다. 돈을 많이 벌어 편하게 인생을 즐기는 나의 모습을 생각하며 흐뭇해하는 사람도 있다.

성격 검사를 받기 전 이러한 질문들을 스스로에게 해보자. '나는 왜 성격 검사를 하고 싶은가? 내 성격의 어떤 부분을 알고 싶은 것인가? 성격 검사를 통해 바꾸고 싶은 것이 무엇인가?' 질문의 내용은 사람마다 정말 다를 것이다. 이 질문 자체가 나라는 사람을 알게 도와주기도 하고 이런 질문을 한 뒤 검사를 받는다면 더 많은 것을 얻을 수 있을 것이다.

말실수하느니 가만히 있는 게 나았을까요?
: 기질성격 검사 TCI

무슨 일이든 걱정이 많은 수민 씨가 내원했다. 그는 친구를 만나러 갈 때면 '내가 괜히 엉뚱한 말이나 행동을 해서 분위기를 망치면 어떻게 하지?'라는 생각에 늘 마음을 졸였다. 친구를 만나고 돌아와서는 '내가 혹시 말실수라도 하지 않았나? 그냥 가만히 있는 게 나았을 텐데.'라고 생각하며 불안해했다. 그러다 보니 점차 사람들을 피하게 됐고 친구들이 불러도 이런저런 이유를 들어 약속에 나가지 않았다. 자신의 성격에 문제가 있는 게 아닌가 싶다며 진료실을 찾은 수민 씨에게 기질성격 검사를 해 보기로 했다.

성격 검사를 할 때 주로 기질성격 검사 TCItemperament and character inventory를 사용한다. 이 검사는 미국의 심리학자 클로닝거가 연구한 이론을 기반으로 만들어졌다. 검사에서는 어떤 자극에 자동으로 반응하는 성향으로 쉽게 변하지 않는 '기질'을 네 가지로, 기질에 더하여 후천적인 경험이나 학습에 따라 변해갈 수 있는 '성격'을 세 가지로 구분한다.

그리고 기질은 자극 추구, 위험 회피, 사회적 민감성, 인내력으로 분류하고, 성격은 자기 지향성(자기 목표 설계 및 관리), 연대감(협동성), 자기 초월로 분류한다. 이와 같이 기질과 성격 정도를 측정하여, 높으면 H, 중간이면 M, 낮으면 L로 나누어 유형을 분석할 수 있다.

네 가지 기질 중 '사회적 민감성'은 다른 사람들의 감정을 잘 느끼고 칭찬이나 사랑과 같은 사회적 보상 신호에 민감하게 반응하는 성향을 말한다. 감수성, 정서적 개방성, 친밀감, 의존이

'사회적 민감성'의 하위척도다.

또 다른 기질인 '자극 추구'는 항상 새로운 것에 끌리는 성향이다. 유튜브 〈뇌부자들〉을 같이 운영하는 나와 김지용 정신과 전문의는 자극 추구 성향이 양극으로 갈린다. 자극 추구 성향이 높은 나는 게임을 할 때도 여러 가지 게임을 한꺼번에 하거나 잠깐 해보고 흥미를 잃으면 다른 게임으로 바로 넘어간다. 그러나 자극 추구 성향이 낮은 김지용 전문의는 하나의 게임만 몇 년째 하는 중이다. 처음 '뇌부자들'이라는 제목으로 팟캐스트를 하자고 제안했던 것이 나다. 새로운 것을 좋아하고 충동적인 성향의 자극 추구 기질이 새로운 제안을 하는 데 영향을 끼쳤을 것이다. 자극 추구 기질이 낮은 김지용 전문의는 팟캐스트를 처음 시작할 때 매우 주저했다. 그러나 꾸준히 〈뇌부자들〉 활동을 이어올 수 있었던 데 큰 역할을 하고 있는 사람이 바로 자극 추구 성향이 높지 않고 인내력이 높은 김지용 전문의다.

그리고 '위험 회피' 기질은 걱정이 많고 부정적인 일을 피하려는 성향이다. 산책을 하다가 강아지를 마주쳤을 때, 강아지를 향해 달려가서 만지는 아이들이 있는가 하면 물릴 것을 두려워하며 도망치는 아이들이 있다. 이처럼 위험을 인식하고 그에 따라 행동이 억제되는 정도가 다르다.

마지막 기질인 '인내력'은 한번 시작한 일이면 보상이 주어지지 않더라도 끝까지 하려는 성향으로 근면, 끈기, 야망, 완벽주의를 하위척도로 측정한다.

세 가지 캐릭터로 분류되는 '성격'은 그 바탕이 되는 개인의 기질에 환경적인 영향이 더해져 일생동안 변화를 겪는다. 첫 번째 캐릭터인 '자율성'은 스스로 선택한 목표와 가치를 이루기 위해 상황에 맞게 통제, 조절, 적응시키는 능력이다. 책임감, 목적의식, 유능감 등이 포함된다. 다음 캐릭터인 '연대감'은 자신을 사회의 한 부분으로 이해하고 다른 사람과 협동하려는 성향으로 타인 수용, 공감, 이타성 등이 포함되어 있다. 마지막 캐릭터인 '자기 초월'은 자신이 우주 만물과 자연의 한 부분임을 이해하고 일체감을 느끼는 능력이다. 대체로 이상주의자는 높은 점수로 나오고 현실주의자는 낮은 점수로 나오는 편이다.

기질은 자극에 대해서 나도 모르게 반응하는 것이다. 즉 타고난 것이어서 쉽게 바뀌지 않는다. 그러므로 내가 수용할 수밖에 없는 부분이다. 하지만 성격은 학습을 통해 만들어져 가는 부분으로 변화할 수 있다. 예를 들어 사회적 민감성이 낮아도 사람들과의 관계에서 긍정적인 경험이 쌓이거나 의식적으로 노력을 하다 보면 연대감이 높아질 수 있는 것이다.

수민 씨의 TCI 검사 결과는 'MHH' 유형이었다. 자극추구는 중간 정도였으나 위험회피와 사회적 민감성은 높은 결과를 보였고, 특히 위험회피 기질은 100점에 가까운 매우 높은 결과가 나왔다.

TCI 검사 결과를 분석하며 상담을 진행하는 동안 수민 씨는 타고난 자기 기질을 이해하며 자신을 받아들이게 됐다. 물론 상담 이후에도 자잘한 걱정을 했으나 원만치 않은 대인관계를 무조건 자신의 탓이라 여기며 자책하거나 괴로워하지 않게 되었다.

수민 씨는 친구와의 관계를 그르칠까 봐 걱정스럽고 두려운 마음에 한동안 친구에게 연락하지 못했다. 사회적 민감성도 높은 수민 씨는 다른 사람으로부터 받는 인정이나 칭찬, 함께 나누는 위로와 공감이 그렇게 중요했는데도 자신이 지닌 위험회피 성향으로 인해 교우관계가 제한적이었던 것이다. 시간이 지나면서 먼저 친구에게 연락할 수 있게 되었고, 친구를 만나면서 행복을 느꼈다며 기뻐했다.

또 다른 경우로 'HHL' 유형이었던 주희 씨는 남자친구와의 관계에서 반복적인 스트레스를 받고 있었다. 그녀는 남자친구와 연락이 바로바로 되지 않으면 화를 참을 수 없었고 그로 인해 자주 다투게 됐다.

TCI 검사 결과, 그녀는 자극 추구 성향이 높아 충동 조절이 어려웠고, 말이나 행동이 자기 생각과 달리 거칠게 표현될 수 있었다. 사회적 민감성 수치가 낮았던 그녀는 남자친구와 만나면서 얻을 수 있는 것보다 상대방이 나를 떠날까 봐 걱정하며 전전긍긍하고 있었다. 그녀에게 가장 큰 위협이 될 수 있는 상황인 상대방이 떠나고 혼자 남겨지는 것을 피하기 위해 그녀는 계속 신경을 곤두세우고 있었던 것이다. 나는 주희 씨에게 벌어지지 않은 일을 위험으로 생각하는 정도가 지나치다는 점을 설명했다. 자신이 겪은 어려움의 원인과 해결 방법이 검사를 통해 충분히 공감할 수 있는 결과로 분석되자 주희 씨는 자기 자신을 천천히 받아들이기 시작했다.

⋮

기질 검사, 성격 검사를 마치고 결과를 설명하면 힘들어하는 사람들이 있다. 자신이 받아들이고 싶지 않았던 부분을 직면하는 것이 고통스러운 것이다. 하지만 검사를 통해 마주하게 되는 본인의 강점에는 크게 주목하지 않는 사람이 많다. 대부분의 사람은 자신이 가지지 못한 것을 부러워하면서 내가 가진 것은 대수롭지 않게 여긴다.

사회적 민감성이 높은 사람은 다른 사람의 평가에 따라 영향을 많이 받기 때문에 대인관계에서 더 많은 상처를 경험하게 된다. 그래서 대인관계에서 영향을 덜 받는 사람을 부러워하고 검사 결과에서 나타난 높은 사회적 민감성 점수에 좌절한다. 그러나 사회적 민감성이 높기에 다른 사람의 마음에 공감하고 고민을 나누는 데 능숙할 수 있다.

인내력이 높다고 마냥 좋기만 한 것도 아니다. 어떤 일이든 끈기 있게 오래 할 수 있어서 좋을 것 같지만 너무 인내력이 높은 사람은 내려놓아야 할 때도 내려놓지 못해 힘이 든다. 능력 이상의 계획이나 무리한 일정을 세워도 그만두지 못하다 보니 지쳐서 정신건강의학과에 내원하기도 한다.

자극 추구 성향이나 위험회피 성향도 마찬가지다. 높고 낮음이 잘잘못을 뜻하는 것이 절대 아니다. 내가 어떤 기질이 높다고 해서 무조건 좋은 것도 아니고 낮다고 해서 나쁜 것만도 아니라는 것을 이해해야 한다.

자신이 어떤 기질인지 알고 싶지만 검사해보기는 어려운 상황이라면 경험했던 인상적인 사건을 떠올려보는 것이 기질을 아는 데 도움이 된다. 사건에 자동으로 반응하게 되는 경향이 기질이기 때문이다. 초등학교, 중학교 시절 입학할 때나 반이 바뀔 때 어떤 마음이었는가. 새로운 상황이 너무 걱정되어 두려움만 앞섰는가? 새로운 학교와 친구를 만나는 것에 대해 설레는 마음이 컸는가? 상황에 따른 자신의 반응이 전자였다면 위험회피 기질, 후자였다면 자극 추구 기질일 확률이 높다. 그리고 기질에 따른 자신의 약한 점을 보완하는 것도 좋지만, 강점을 스스로 건강하게 받아들여 일상에서 긍정적으로 발휘하기를 응원한다.

Part 3.

사회생활은
두 번째 자아가 해요

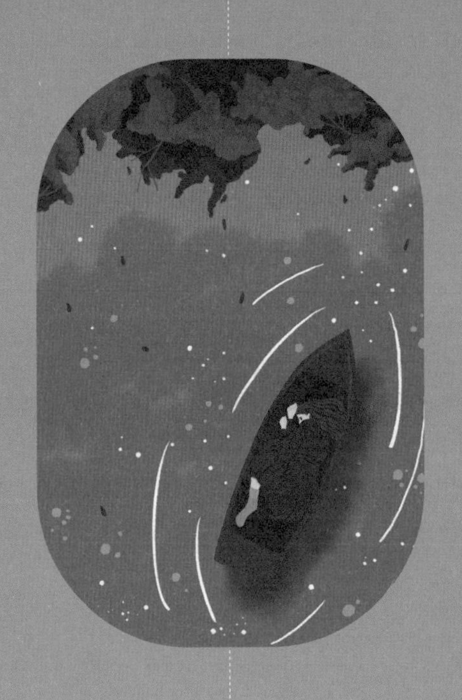

페르소나와 억압

하고 싶은 것만 하고 살 수는 없잖아요
: 페르소나

"저는 어떻게 해야 할까요. 이렇게 사는 게 맞는 건가요?"

성현 씨는 더 이상 이렇게 못 살겠다며 한숨을 쉬었다.

"어떻게 하고 싶으신데요?"

"어떻게 하고 싶은지를 모르겠어요. 뭘 하고 싶은지도 모르겠고요. 지금까지 제가 뭘 원하는지 생각하지 않고 살아왔던 것 같아요."

성실한 직장인인 성현 씨는 지쳐 있었다. 그에게 '칼퇴근'은 드라마에서나 들어볼 법한 비현실적인 단어였다. 출근한 당일이 아닌 자정을 넘어 퇴근하는 날이 더 많았다. 야근을 해서 어떻게든 일을 끝내면 다음 날 더 많은 양의 일이 들이닥쳤다. 높은 업무강도를 불평하던 동료들이 하나둘 퇴사하자 성현 씨는 퇴사한 동료들의 일까지 떠맡게 되었다. 상사는 야근하지 말고 일찍 퇴근하라고 하면서도 빨리 결과물을 달라고 늘 채근했다. 이렇게 난감한 사정이 계속되다 보니 과부하가 걸려 번아웃, 소위 '멘붕' 상태에 이르고 만 것이다.

입사 초기엔 잘한다는 상사의 칭찬에 인정받는 느낌이 들어 힘이 났다. 그러나 이제는 칭찬마저도 모두 의미가 없어졌다. 집에 돌아오면 몸이 물에 젖은 솜처럼 무겁고 피곤했으나 잠이 오지 않았다. 피로가 쌓인 데다 잠까지 충분히 못 자니 입맛도 떨어지고 일에 대한 의욕도 없어졌다. 하루 종일 가슴에 돌을 얹은 듯 답답한 상태로 뭘 해도 재미가 없어진 성현 씨는 하루에도 몇 번씩 '차에 치여 입원하면 푹 쉴 수 있지 않을까?' 하는 상상을 한다며 힘든 마음을 하소연했다.

'사람을 만나면 항상 웃는 모습을 보여줘야 한다.', '돈은 반드시 계획적으로 써야 한다.', '주말에도 쉬지 않고 부지런히 움직여야 한다.'와 같은 식으로 짜여진 틀에 맞춰 타인이 나를 어떻게 보는지만 생각하며 사는 사람들이 있다. 페르소나persona에 너무 충실한 결과다.

페르소나는 인격과 성격을 뜻하는 영어 단어 'personality'의 어원이기도 하다. 고대 에트루리아의 어릿광대들이 쓰던 가면을 뜻하는 라틴어에서 유래했다는 이 말은 '가면'에 빗대어 '외적 인격' 또는 '가면을 쓴 인격'을 뜻하는 말로 쓰이고 있다.

스위스의 정신분석학자이자 정신과 의사인 칼 구스타프 융은 페르소나를 사회에서 요구하는 나를 설명하기 위한 심리학 용어로 사용했다. 그는 외면적으로 보여지기를 원하는 자기 모습, 사회적 역할에 따라 변화하는 인격인 페르소나가 있기 때문에 자신의 임무를 수행하고 주변 세계와 상호관계를 맺을 수 있다고 했다. 규범과 도덕에 따라 행동하면서도 어두운 자아는 존재할 수밖에 없는데, 그 어두운 자아를 감춰주는 가면이 '페르소나'라는 것이다.

심리학에서는 사회에서 기대하는 내가 아닌 자신의 진짜 내면을 '셀프self'라고 표현하는데, 페르소나와 셀프 사이에 균형을 잃지 않는 것이 중요하다. 자신의 가면인 페르소나가 너무 강하면 삶이 공허하고 왜 사는지 의미를 찾기 힘들어진다. 게다가 페르소나를 제대로 쓰지 못하면 사회적인 관계가 원만하지 않을 수도 있다.

진료실에서 가면을 쓰고 사는 것 같아 힘들다는 이야기를 조심스레 꺼내는 내담자를 흔히 만난다. 내담자에게 원래 성격이 어떤 편이냐고 질문하면 늘 비슷한 대답을 듣는다. 원래 자신의 성격은 그렇지 않은데 다른 사람에게 좋은 모습을 보이기 위해 밝고 긍정적이며 부지런한 모습의 가면을 쓰고 연출된 생활을 하고 있다는 답이다.

이처럼 페르소나와 셀프 사이에 균형이 무너져 페르소나 쪽으로 추가 많이 기울어져 있는 사람들이 많다. 페르소나의 삶에 치우친 사람은 자기 가면의 모습을 좋아하고 따르는 상대가 가면 속 실제 모습을 알고 자신을 떠나거나 부정적인 평가를 할까봐 두려워한다. 차라리 교통사고라도 나서 병원에 입원하고 싶다는 성현 씨도 페르소나에 갇혀 있는 사람이다.

성현 씨는 일에서 해방된 주말에는 무엇이라도 해야 한다는 생각에 약속도 잡고 공부할 계획도 세워봤지만 잘 되지 않았으며, 설사 하더라도 별 재미가 없다고 했다. 돌아오는 주말에 짬을 내서 친구와 여행을 가기로 계획을 세웠지만 사실은 여행을 가고 싶지 않다고 했다. 그냥 아무 생각 없이 쉬고 싶은데 어떻게 해야 하는지 모르겠다며 답을 내려달라고 했다.

"친구와 여행을 가면 아마 생각만큼 재미가 없을 거예요. 왜 무리해서 여행을 계획했을까 싶은 생각이 들겠죠. 그냥 집에서 쉴걸 하며 후회하지 않을까요? 그런데 여행을 가지 않고 집에서 쉬어도 분명 자책하실 거예요. '친구와의 약속을 어겼구나. 나는 약속한 것도 못 지키는 사람이구나.' 하면서요. 게다가 주말을 허비한 게으른 자신을 비난하겠죠."

결국 어떤 선택을 해도 후회할 것이라는 나의 말에 성현 씨는 그간 답답했던 심정을 터뜨리듯 눈물을 보였다.

"친구와 계획한 여행을 떠나셔도 되고 집에서 그냥 쉬어도 괜찮아요. 여행을 가서 별로 얻은 것이 없어도 '크게 재미있지는 않았지만 친구와 함께 시간을 보낼 수 있어서 좋았다. 주말에 계획했던 여행을 해봤으니 된 거지.'라고 생각해보세요. 만일 약속을 깨고 집에서 쉰다면 '안 그래도 아무것도 안 하며 쉬고 싶었는데 푹 잘 쉬었네. 평일에 너무 지쳐 있었으니 충전하는 시간으로 잘 썼다.'고 생각해보죠."

어떤 선택을 해도 괜찮지만 여행을 가고 싶지 않고 쉬고 싶은 것이 성현 씨 마음이라면 하고 싶은 쪽을 선택하시면 좋겠다고 했다. 셀프의 목소리를 무시하고 페르소나에 갇혀 살지 말라는 나의 조언에 성현 씨는 머리를 끄덕였다.

2주 뒤 성현 씨가 다시 내원했다. 친구와 약속한 여행은 다녀왔고 직장 일은 여전히 많다며 불평했지만, 그래도 자신의 삶이 모두 의미 없어 죽고 싶다는 생각은 거의 없어졌다며 미소를 지었다. '쉬어도 된다. 아무것도 하지 않아도 된다.'는 말이 자신에게 큰 도움이 됐단다. 성현 씨는 그런 이야기를 들은 것이 처음이었다고 했다. 주변의 모든 사람들이 '왜 아무것도 하지 않느냐. 뭐라도 해야 한다.'는 말만 했다는 것이다. 친구와 여행을 다녀온 다음 주는 정말 아무것도 하지 않고 쉬었는데 휴일에도 괜히 초조했던 전과는 달리 훨씬 편안히 쉴 수 있었다고 했다.

지금 자신에게 물어보자.

"내 앞에 있는 이 일이 내가 하고 싶은 일인가? 아니면 해야 한다고 생각하는 일인가?"

하고 싶은 것만 하면서 살 수는 없다. 그러나 전혀 하고 싶지 않은데 해야 한다는 생각만 드는 일이라면 하지 않는 편이 좋다. 그 마음이 반반 정도라면 해보는 편이 낫겠다. 다만, 진짜 반반의 마음이 맞는지 신중히 마음의 소리를 들어봐줬으면 좋겠다.

“내 앞에 있는 이 일이

내가 하고 싶은 일인가?

아니면

해야 한다고 생각하는 일인가?”

마스크를 쓰고 사람들을 만나는 게 더 편해요
: 열등감과 콤플렉스

코로나19로 인해 쓰기 시작한 마스크를 지금까지도 계속해서 착용하는 것이 오히려 편하다는 내담자들이 꽤 많다. 이전보다 화장을 공들여서 하지 않아도 되니 편하다는 의견도 많지만 의외로 외모 콤플렉스를 감추고 당당히 다닐 수 있어 자신감이 생겼다는 의견도 만만치 않게 많다.

수현 씨는 마스크 마니아로, 다른 사람들의 시선이 신경 쓰여 항상 마스크를 쓰고 다녔다고 했다. 코로나19 전엔 자신이 유별

나게 튀어 보일 것 같아 타인의 시선을 신경 썼는데, 전 국민이 마스크를 쓰고 다니게 된 후론 너무나 마음이 편하다고 했다.

자신의 외모가 남보다 못하다고 생각하며 강박에 시달리는 외모 콤플렉스를 가진 이들이 있다. 그런데 이런 생각을 하는 사람의 외모가 나쁘기는커녕 외려 남보다 뛰어난 경우가 많다.

외모 콤플렉스로 인해 힘들다는 수현 씨의 하소연도 역시 의아했다. 수현 씨는 미래에 대한 걱정이나 불면 같은 주제로 몇 달간 진료실을 찾았던 내담자다. 그동안 상담을 하면서 나는 독특한 매력이 있는 그의 외모가 수현 씨의 여러 가지 장점 중 특히 두드러진 장점일 것이라 생각하고 있었다. 그런데 그는 남들이 부러워할 만한 자신의 외모를 부끄럽게 생각했다. 수현 씨는 취업한 직장에서 근무한 지 몇 달이 지나도록 마스크를 벗을 일이 없어 얼굴을 온전히 노출하지 않았다. 그러던 어느 날 동료 직원들과 회식 자리를 갖게 되어 마스크를 벗고 식사할 일이 생겼다. 그때 자신의 맨얼굴을 본 동료가 놀랍다는 표정으로 그를 '마기꾼'이라 불렀다고 한다. 그는 동료의 말이 며칠 동안 귓전을 떠나지 않았다고 했다.

수현 씨는 학창 시절부터 남들에게 들었던 외모 평가로 인해 깊은 콤플렉스를 가지고 있었다. 친구들은 그에게 '독특한 분위기다.', '특이하게 생겼다.'라는 말을 자주 던졌으며, 무심코 들었던 외모 품평은 횟수가 거듭되자 점점 외모 비하로 느껴졌다고 한다. 평범하지 않고 이상하게 생겼다는 놀림이라 여겨지자 길 가는 사람들과 무심코 마주친 시선조차 자신의 외모를 멸시하는 것으로 느껴져 불편해지기 시작했다는 것이다.

콤플렉스는 정신분석 용어로 라틴어 'com(함께)'과 'plectere(엮다)'의 합성어다. 심리학에서는 콤플렉스를 비정상적인 정서나 행동을 불러일으키는 억압된 사고나 관념으로, 우리의 마음과 행동에 영향을 미칠 수 있는 복잡한 감정과 생각의 덩어리라고 정의한다. 모호하며 선명하지 않아 쉽게 파악할 수 없어 마음에서 지워지지 않고 의식과 무의식을 흔들며 영향을 주는 감정과 생각의 덩어리다. 신데렐라 콤플렉스, 카인 콤플렉스, 나폴레옹 콤플렉스, 슈퍼우먼 콤플렉스 등 우리가 익히 들어온 콤플렉스의 종류만 해도 수를 헤아리기 힘들 정도로 다양하다. 어떤 것이든 콤플렉스가 될 수 있는 셈이다. 누구나 일상에서 쉽게 가져다 쓰는 용어인 콤플렉스는 열등감과 같은 의미로 종종 사용된다. 그러나 열등감과 콤플렉스를 같은 뜻으로 생각한다면 오이디푸스 콤플렉스, 착한 아이 콤플렉스, 피터팬 콤플렉스 같은 용어들을 이해하는 데 혼선이 발생한다.

콤플렉스라는 말 자체가 열등감을 의미한다고 잘못 알려져 있는 이유를 '나폴레옹 콤플렉스'에서 찾는다. 대중에게 가장 많이 알려진 나폴레옹 콤플렉스는 작은 키에 대한 열등감을 보상하려는 욕구가 지나친 지배욕으로 변질된 나폴레옹의 성향에서 이름 지어졌다. 열등감에 대한 보상을 다른 영역에서 충족시키려 한 열등감 콤플렉스가 유명해지다 보니 열등감과 콤플렉스가 같은 것이란 오해가 생겼다는 것이다.

콤플렉스의 이해를 돕기 위해 몇 가지 콤플렉스를 짚어보자. 이름부터 여리고 고운 착한 아이 콤플렉스를 가진 사람은 자기 자신을 착한 아이로 구속한다. 적당히 거절하고 적절히 부탁한다면 자신을 지킬 수 있을 뿐 아니라 상대와의 관계도 오래 유지할 수 있을 텐데, 착한 아이 콤플렉스에 갇혀 쉽게 거절하지 못하고 부탁도 못하면서 스스로를 괴롭힌다. 착한 사람이라는 평을 들으려 눈치를 보고 갈등 상황을 피하지만 본인의 내면은 위축되어 있고 우울하다.

또한 몸은 성인이지만 마음속으로는 성인이길 거부한 사람들을 피터팬 콤플렉스로 설명하는데, 이들은 현실을 회피한 채 어린아이처럼 응석받이로 남아 있으려는 특징을 갖고 있다. 성인으로 독립해서 자신을 비롯한 많은 부분을 책임지며 사는 것이 두려워 그 공포가 콤플렉스로 작용한 결과다. 사회 부적응자나 미취업자인 젊은 남성층에서 피터팬 콤플렉스가 확산되고 있는 것은 심각한 사회문제라고도 할 수 있다.

콤플렉스 중에서 열등감과 관련된 콤플렉스를 열등 콤플렉스로 분류한다. 개인심리학의 창시자인 아들러는 "인간은 누구나 열등한 존재로 태어나기 때문에 인간이 된다는 것이 곧 열등감을 느끼게 된다는 것이다."라고 설파했다. 평생 허약했던 아들러는 자신의 개인적인 경험을 통해 열등감을 중요한 주제로 삼았다. 열등감을 보상하고 극복하려 노력하는 사람들은 우월성을 추구하게 되는데, 건강한 형태가 아닌 신경증적 형태로 나타나 권력에 대한 욕구와 타인에 대한 통제로 표현되는 것이 열등감 콤플렉스라고 설명한다.

열등감은 자신이 남보다 못하거나 부족하다는 생각에서 오는 우울한 느낌이다. 인간은 누구나 신체적·심리적·사회적 조건 등에서 열등감을 가질 수 있다. 용모, 체격, 체력, 성기, 성적 기능 등에서 신체적 열등감을, 지적인 면이나 성격적인 면에서 심리적 열등감을, 가족과 가정의 생활 수준 그리고 소속집단의 조건 등에서 사회적 열등감을 경험한다.

때문에 정도의 차이가 있을 뿐 누구나 콤플렉스를 가지고 있으며, 사소한 콤플렉스일지라도 쉽게 떨쳐내기 어렵다. 콤플렉스 앞에서 우물쭈물하지 않고 당차게 마주 서는 일 자체가 감당하기 어려운 강렬한 감정을 불러일으키기 때문이다.

고백하자면 나를 힘들게 했던 콤플렉스 중 하나는 목소리였다. 나는 남자인데도 낮고 울림이 있는 목소리가 아닌 높은 톤의 목소리를 가지고 있다. 그래서 같은 이야기를 해도 목소리 때문에 전달력이 떨어지지 않을지 걱정한 적이 많았다. 친구들이 장난스럽게 목소리를 들으면 깬다든지, 말하지 말고 가만히 있는 게 낫겠다는 이야기를 할 때마다 내 안의 콤플렉스 덩어리가 점점 자라났다.

그런데 정신건강의학과 의사로서 목소리를 내기 두렵다는 것은 콤플렉스를 넘어서 꽤 큰 문제였다. 다른 과에 비해 말하는 것이 중요하기 때문이다. 전공의 1년 차 때 교수님께 목소리 톤이 높다는 피드백을 받은 적이 있었는데, 정신과가 아닌 다른 과였다면 듣지 못했을 말씀이었다. 처음 팟캐스트를 시작했을 때도 다른 멤버들의 목소리가 좋다는 이야기를 들으면 상대적으로 내 목소리가 거슬린다는 이야기인가 싶어 열등감에 시달렸다. 그럼에도 꾸준히 방송을 했던 것이 오히려 열등감을 극복하는 데 큰 도움이 됐다. 낮고 중후한 멤버의 목소리가 좋기는 하지만 거리감이 느껴질 때가 있는데, 허쌤의 목소리는 편안한 친구의 목소리처럼 느껴져서 좋다는 청취자들의 평이 자신감을 높여주었기 때문이다.

수현 씨가 고민하고 있는 외모 콤플렉스도 스스로 열등하다고 생각했기에 생긴 증상이다. 그는 자신이 외모에 대한 고민을 괜히 털어놓아서 선생님이 자기 외모를 더 살피지 않을까 걱정된다며 안절부절못했다. 불안해하는 그에게 나는 한동안 내가 가지고 있었던 목소리 콤플렉스를 말해주며 열등감은 인간이

⋮

누구나 콤플렉스를 가지고 있으며,

사소한 콤플렉스일지라도 쉽게 떨쳐내기 어렵다.

콤플렉스 앞에서 우물쭈물하지 않고

당차게 마주 서는 일 자체가

감당하기 어려운 강렬한 감정을 불러일으키기 때문이다.

⋮

라면 누구나 갖는 감정이라고 설명했다.

외모 콤플렉스로 우울하던 수현 씨는 같은 주제로 상담을 반복하면서 안정을 찾고 편안해졌다. 외모 자체가 달라지지는 않았지만 감춰뒀던 마음속 이야기를 꺼내고 다루는 것 자체가 도움이 됐던 것이다. 수현 씨는 이제 제법 열등 콤플렉스에서 벗어났다. 누구나 열등감을 가지고 있다. 즉, 누구든 말하기 어려운 사연 하나씩을 안고 살아간다. 각자가 품고 있는 가슴속 응어리를 안에서 충분히 소화하고 겉으로 꺼내어보고, 평안을 찾는 그 순간을 조심스레 응원한다.

"외모 콤플렉스 이겨냈어요"

수현 선생님, 저 소개팅 잡혔어요.

규형 오오, 소개팅요?

수현 네, 우연히 대학 동기와 이야기를 나누다 소개받아 보기로 했어요. 어떤 사람인지는 모르지만 일단 만나보려고요. 이제는 누군가를 만나도 괜찮겠다, 연애하고 싶다는 마음이 생겼거든요.

규형 연애하고 싶은 마음이 생기셨다고요?

수현 예전에는 제 외모가 워낙 부족하다고 생각해서 자신감이 없었어요. 누구도 만날 수 없을 것이라고 단정 짓고 살았어요. 누구와도 만나고 싶지 않았고요. 모든 이성이 저를 거절할 것 같아 연애 자체에 철벽을 치기도 했죠. 사실은 누군가를 만나고 싶은 마음은 있었지만 상처받고 싶지 않은 마음이 커서 그 마음을 부정했던 것 같아요.

규형 마음의 벽이 무너진 것 같네요.

수현 선생님하고 계속 이야기하면서 외모 콤플렉스를 받아들이고 나니 마음이 편해졌어요. 그러다 보니 누군가를 만나고 싶다는 마음이 자연스럽게 커지더라고요. 친구와 대화를 나누던 중 이런 마음을 털어놨더니 친구가 적극적으로 나서서 소개팅을 잡았어요.

규형 이번 소개팅은 어떻게 될 것 같아요?

수현 모르겠어요. 잘되면 좋은데 잘 안되더라도 앞으로 계속 시도해 보려고요!

규형 혹시 소개팅이 생각처럼 잘되지 않으면 수현 씨가 의기소침해질까 봐 걱정했는데 마음이 가벼워지네요. 그사이에 생각보다 훨씬 더 마음이 단단해졌어요, 수현 씨. 분명 좋은 상대를 만날 거라고 믿어요.

⋮

계획을 지키지 못하는 제가 한심해요

: 해야 하는 것과 할 수 있는 것

묵은해를 보내고 새해가 열리면 누구나 야심 찬 계획들을 세운다. 연례행사처럼 많은 사람들이 운동이나 어학 공부에 대한 계획을 세우며 각오를 다지지만, 얼마 지나지 않아 흐지부지되곤 한다.

연말과 연초는 정신건강의학과의 비수기다. 여러 가지 행사로 분주한 데다 상담이나 약의 도움 없이 혼자서 잘해보고 싶다는 목표를 세우는 사람이 많기 때문이다. 그 마음은 이해하지만,

아픔을 혼자 이기겠다는 새해 계획만큼은 말리고 싶다. 상의 없이 치료를 중단했다가 전체 치료 기간만 더 길어지기 때문이다.

'계획 세우기'를 주제로 상담할 때가 제법 있다. 계획을 잘 세우지 못하는 것이 ADHD 증상 중 하나이기 때문이다. 계획을 세우기보다는 그때그때 마음 내키는 대로 충동적 행동을 하는 것이 ADHD의 특징인데, 주어진 과제를 끝마치지 못한다거나 주어진 일을 체계적으로 수행하지 못하는 경우가 자주 발생한다. 물론 계획하고 지키는 것이 잘 되지 않는 것만으로 ADHD라고 진단하지는 않는다. 완벽주의 성향이 있거나 우울증을 겪고 있는 이들도 흔하게 겪는 어려움이기 때문이다. 나 역시 계획을 세우고 지키는 데 자주 어려움을 겪는지라 내담자가 계획 세우기에 대한 어려움을 토로할 때 특히 공감하게 된다.

공무원 시험을 몇 년째 준비 중인 현지 씨가 우울하고 힘든 마음으로 정신건강의학과에 내원했다. 스터디 모임을 여러 개 참여해가며 최선을 다했던 현지 씨는 간발의 차이로 낙방하는 일이 거듭되자 하루를 충실히 보내지 못한 결과라는 죄책감에 항상 힘들어했다. 아쉬운 마음에 새벽까지 책을 붙잡고 있어도 봤지만 공부에 집중하지도 온전히 쉬지도 못했다. 게다가 수면 부족으로 인한 피로감과 고민으로 시간을 허비하는 일이 많았다.

"합격하려면 지금부터 3독은 해야 한다는데 저는 아직 1독도 제대로 못 했어요."

그는 합격자들의 수기를 보고 그들과 자신을 비교하며 채찍질했다. 현지 씨는 자신이 게을러서 낙방했다고 생각했지만, 반대로 지나치게 열심히 해서 무리했기 때문으로 보였다.

현지 씨는 합격자 수기대로 매일 12시간씩 공부해서 수험서를 세 번 완독하려는 계획을 세웠다. 하지만 하루에 6시간 이상은 공부에 집중할 수가 없어서 계획을 제대로 지키지 못한 자신을 힘들어할 자격도 없다고 비난했다. 불면과 우울감에 대해 상담받는 것조차 꾀병을 부리는 것 같다며 괴로워했다.

우리는 그 계획이 가진 문제에 대해 이야기를 나눴다. 계획대로 실행하지 못한 것에 실망하기보다 실천하기 쉬운 계획부터 세워 하나씩 지켜보자고 했다. 가장 먼저, 무너졌던 생활 패턴을 회복하는 것부터 시작했다. 기상과 취침 시간을 일정하게 맞춘 후 감당할 수 있는 선에서 공부 시간을 계획했다. 그리고 조금씩 그 시간을 늘려나가는 식으로 수정해갔다. 물론 계획이 늘 완벽하게 실행된 것은 아니었지만, 현지 씨가 전처럼 심한 자책감에 시달리는 일은 확연히 줄어들었다.

이처럼 해야 할 것을 할 수 있는 것으로 잘못 생각해 무리한 계획을 짜는 경우는 흔하다. 남과 비교해서 계획을 세운다면 내가 할 수 있는 계획이 아니라 남이 해냈기에 나도 해내야만 하는 무리한 계획을 세우게 된다. 합격자 수기를 보고 많은 사람이 감탄하는 것은 여간해서 성취하기 어려운 대단한 성과를 이뤄냈기 때문이다. 그토록 어려운 계획을 실행하지 못했다고 해서 마치 할 수 있는 것을 하지 않은 사람으로 생각하며 평가절하할 필요가 없다. 원인을 분석하자면 애초에 할 수 없었던 무리한 계획을 짰던 것이 문제일 것이다.

계획을 지속적으로 실천하기 위해서는 목표를 자신의 능력에 맞게 설계해야 한다. 20세기 초 미국 사회 전 분야에서 이루어진 변혁의 순간을 조명한 소설 『래그타임』으로 유명한 미국의 작가 E. L. 닥터로는 자신의 글쓰기 작업에 대한 목표 설정을 이렇게 설명했다.

"소설을 완성하는 것은 한밤에 운전하는 것과 비슷하다. 운전자는 차의 헤드라이트가 비춰주는 데까지만 볼 수 있을 뿐이며 그런 식으로 목적지까지 가게 된다."

한번에 욕심을 내어 서두르지 말고 자신의 능력에 맞춰 집중하면 목표에 닿을 수 있다는 의미다. 우리의 뇌는 변화하지 않으려는 속성을 가지고 있어서 여간한 의지로는 목표를 이루기가 힘들다. 어려운 작업을 시작하면 스트레스를 줄여주는 세로토닌이 분비되지만 3일이 지나면 세로토닌 분비가 줄어 포기하고 싶은 마음이 생긴다는 연구 결과가 작심삼일로 끝났던 과거를 위로해준다.

이제부터는 계획들이 작심삼일에 그치지 않도록 처음 3일은 실현 가능성이 높은 계획을 세우기 위한 테스트 시간으로 써보면 어떨까? 매일 30분씩 걷기로 다짐했다면 3일 동안 얼마나 실천했는지 확인하는 것이다. 실제로 걸은 날이 3일 중 하루였다면 '3일에 이틀 걷기'로 계획을 수정하여 다시 세우는 게 좋다. 현실적이고 실현 가능한 구체적인 계획이 꾸준한 실행으로 이어지는 디딤 발이 될 수 있다.

"소설을 완성하는 것은

한밤에 운전하는 것과 비슷하다.

운전자는 차의 헤드라이트가

비춰주는 데까지만 볼 수 있을 뿐이며

그런 식으로 목적지까지 가게 된다."

"쉴 때는 쉬고,
할 때는 하는 삶"

현지 선생님께 꼭 말씀드리고 싶었던 것이 있어요.

규형 그래요? 뭔지 듣고 싶네요.

현지 지난 한 달이 항상 좋았던 건 아니었거든요. 중간중간 힘든 날도 있었고 계획을 반도 못 지킨 날도 있었어요. 그때마다 계속 선생님하고 얘기했던 게 떠올랐어요. 자책하지 말고 쉬어가자는 말이요. 그 생각을 했더니 며칠 열심히 했으니까 쉴 수도 있다는 생각이 들었어요. 힘들었던 그다음 날은 다시 기분도 나아졌고 계획도 거의 다 지키게 됐어요.

규형 같이 나누었던 이야기가 힘들었던 날 떠올랐군요.

현지 네, 아마 예전의 저였다면 한번 힘들기 시작하면 일주일 이상은 계속 우울했을 거예요, 선생님도 잘 아시잖아요? 그리고 그날만큼은 아니지만 계획을 모두 못 지킨 날이 몇 번 있었는데 한 달 전체를 놓고 보면 예전보다 훨씬 많이 계획대로 일을 처리했어요. 이런 제 변화가 너무 신기해요.

규형 이제 긴 호흡으로 마라톤을 달릴 수 있을 것 같네요. 전에는 스스로를 끊임없이 다그치고 채찍질하느라 짧게 달릴 수밖에 없었죠. 적절히 쉬어가면서 길게 달리셨으면 좋겠어요.

명치에 뭔가 걸린 것처럼 답답해요 : 화병

정은 씨는 한 달 전부터 식사를 하지 못해 체중이 급격히 감소하고 잠이 오지 않아 내원했다. 가슴이 답답하고 명치 끝이 얹힌 듯 아프다며 자신의 증상이 아무래도 화병 같다고 했다. 정은 씨는 남편에게 더 이상 견디기 힘들 정도의 서운함을 느끼고 있었다. 유난히 가부장적인 남편은 젊어서부터 아내나 자식보다 부모와 형제를 우선했던 사람이었다. 시어른들의 입장에선 나무랄 데 없는 효자요, 집안의 든든한 기둥이었지만 아내에겐 남만도 못한 남의 편인 남편이었던 셈이다.

살갑지 않고 데면데면한 부부관계는 그래도 넘어갈 수 있었다고 한다. 그런데 그녀의 남편은 아들딸보다 조카들에게 더 친밀한 애정표현을 했다. 제 자식은 제대로 한 번 안아준 적이 없으면서 조카들을 보면 품에 안고 사랑한다고 적극적으로 표현하는 남편의 행동에 화가 치밀고 배신감까지 들었다고 한다. 자녀들이 결혼하고 난 지금도 남편의 행동은 전혀 달라지지 않고 있다며 정은 씨는 너무나 분해 '이런 사람과 계속 살아야 하나?' 하는 생각이 든다고 했다. 부모에게 효도하는 것이 자식의 도리이기에 마음을 달래며 삭혔고, 참기 힘든 부당한 일을 당해도 자녀들과 가정을 잘 지켜야 한다는 책임감으로 인내해왔다. 그렇게 억눌렀던 분노가 둑이 무너지듯 한꺼번에 쏟아져 나왔던 것이다.

화병은 가슴속 화가 차곡차곡 쌓이다가 억눌렸던 분함이 통증으로 나타나며 시작될 때가 많다. 속마음에 눌러 담았던 억울함과 섭섭함이 더는 담아 둘 수 없는 한계에 도달하여 정신적, 신체적으로 터져 나오는 것이다. 병 이름 앞에 뜨거운 불 화(火)

를 붙인 화병은 강한 분노로 인해 생긴 신체증상이다. 미국정신의학회에서는 이를 한국문화와 관련한 특이한 질환으로 분류해 'Hwa-Byung(화병)'이라는 한국식 표기로 실었다. 캄보디아, 라오스, 티베트, 스리랑카처럼 아시아 지역에서 비슷한 증상이 나타나는데 자기표현이 철저히 무시됐던 아랫사람이나 여성들에게 주로 발생한다는 공통점이 있다.

가슴 통증을 호소하며 내원한 정은 씨만이 아니라 중장년층 이상의 여성들이 응어리진 느낌의 신체증상을 자주 호소한다. 우울과 분노를 억누르다 보면 가슴이 답답해지면서 명치에 무언가가 걸린 느낌이 든다. 우울해지고 밥맛을 잃게 되며 불면증이 생기거나 호흡곤란과 몸 전체의 통증으로 고통받기도 한다.

화병을 진단하려면 핵심 신체증상과 핵심 심리증상을 살핀다. 가슴의 답답함, 열감, 치밀어 오름, 목이나 명치에 뭉쳐진 덩어리가 느껴지는 것이 핵심 신체증상이고 억울하고 분한 감정, 마음의 응어리나 한으로 힘든 것이 핵심 심리증상이다. 이 밖의 신체증상이나 심리증상으로는 우울증이나 불안증에서도 볼 수 있는 가슴 두근거림, 두통, 허무함, 두려움 등이 있다. 이와 함께 발병 전의 생활, 스트레스 요인과 이러한 환경이 심리적 상태에

⋮

우울과 분노를 억누르다 보면 가슴이 답답해지면서

명치에 무언가가 걸린 느낌이 든다.

우울해지고 밥맛을 잃게 되며

불면증이 생기거나

호흡곤란과 몸 전체의 통증으로 고통받기도 한다.

⋮

미친 영향을 평가하고 진단한다. 정신건강의학과에서는 화병이라는 진단명보다 신체증상이 동반된 우울증이나 공황장애 혹은 신체증상장애에 준하여 치료 계획을 세운다.

화병을 치료하려면 억울함과 분노의 내면적 원인을 찾아내 풀어버려야 한다. 역사적으로 맥을 이어 오고 있는 우리 민족의 기본 정서는 끈끈한 정과 정보다 더 짙은 한이다. 정은 피로 이어진 혈연의 애착이 우선이었다. 혈육의 죽음을 보고 '정을 뗀다.'라고 표현하는 것을 보면 피붙이와 정을 거의 같은 의미로 사용하는 것과 다름없다. 타인과의 관계에서는 연인이나 친구, 이웃, 동지처럼 혈연과 진배없이 정서적으로 밀착된 애착 관계가 정일 것이다.

이렇게 지순한 정의 정서가 배반으로 상처를 입게 되면 처절한 한으로 남는다. 한은 기혼 여성에게 많으며, 특히 불행한 결혼생활을 했거나 생활이 어려운 사람에게 많이 나타난다. 그리고 어릴 때의 아픔이 평생의 한으로 남기도 한다. 유년기에 부모와 사별하거나 학대에 시달린 경험, 가정불화, 보잘것없던 집안환경, 끝마치지 못한 학업 등도 모두 한으로 응어리진다.

한이 여성에게 유달리 많은 것은 외부의 숙명적인 힘에 무력

할 수밖에 없었기 때문일 것이다. 예전에는 한을 해소하기 위해 넋두리나 놀이, 굿 등을 이용했는데, 이는 욕구가 충족되지 않아 생긴 노여움과 가슴 깊이 맺힌 원한을 풀어준다는 의미를 담은 수단이었다.

전해지는 옛 이야기 중 이런 이야기가 있다. 시집오자마자 남편을 잃은 여인이 있었다. 신랑이 급사하고 정신없이 장례를 치르고 난 여인은 뒤늦게 아이를 가진 것을 알게 되어 대성통곡을 하다가 궁리했다. 남편 없이 밥은커녕 죽도 못 먹을 형편에 아이를 어찌 낳아 키울 것인가. 아이를 떼기 위해 온갖 방법을 써 보았지만 허사였다. 몇 달 후 아들이 태어나자 여인은 마음을 다잡고 아이를 키우기 위해 밤낮으로 험한 일을 마다하지 않았다. 일찍 잃은 자식의 죽음을 며느리의 박복으로 구박하는 모진 시집살이까지 견뎌야 했다. 이렇게 키운 아이가 잘 자라 한시름 놓는가 싶었는데 천금 같은 그 아들이 역병으로 남편처럼 세상을 버리게 됐다. 그날부터 여인은 말문을 닫고 자리에 눕게 됐다. 용하다는 의원을 전전했지만 아무런 차도가 없었다. 마지막으로 죽어가던 여인을 위해 동네 사람들이 무당에게 굿을 부탁했다. 한판 굿을 벌이다 무당은 쓰러질 듯 간신히 서 있는 가련한 여인에게 말했다.

"다른 사람 다 몰라도 나는 알고 있다. 평생 새끼 가슴에 멍들까 봐 한탄 한마디 못 하고 불평 한마디 못 한 채 뼈가 으스러지도록 애쓴 네 사정 내가 잘 안다. 괴롭고 외로운 네 심정 내가 알고 있다. 고맙고 미안하구나."

남편의 혼이 실렸다는 무당의 한마디에 여인이 품고 있던 평생의 한과 설움이 통곡으로 터져 나왔다. 지켜보던 마을 사람들도 모두 함께 울었다. 자신을 알아주고 이해하며 같이 울어준 굿판을 치르고 난 후 여인은 자리에서 일어날 수 있었다.

이처럼 화병 환자의 80% 이상은 발병 원인이 한에서 비롯됐다고 한다. 화병은 오랫동안 참아온 억울함, 분노가 억압되어 나타난 결과이며 분노 조절이 되지 않아 문제가 되는 간헐성 폭발장애와 대비된다. 화를 억지로 눌러 참다가 생긴 화병과 달리 충동조절장애는 가리지 않고 화를 내는 상태를 뜻한다.

보통 중년 여성에게서 더 자주 나타나는 화병은 비교적 흔한 증상이다. 국내에서 시행된 연구에 따르면 대략 100명 중 4~5명 정도는 평생 한 번쯤 화병을 겪는 것으로 알려져 있다. 화병의 정신치료는 스트레스에 대처하는 증상자의 방식 등을 통해 문제를 해결하고자 한다. 증상이 심하지 않은 경우에는 약물치료 없이 상담치료를 진행하지만, 증상이 위중할 경우에는 약물치료를 병행한다. 화병은 무엇보다 한으로 응어리진 마음을 열어주는 것이 중요하다.

표현이 서툰 환자의 경우 그 가족을 병원으로 불러 환자 대신 아픔을 설명해주기도 한다. 정은 씨는 상담과 약물치료를 병행하면서 답답함, 불면 등의 증상이 좋아졌다. 남편과 자녀들에게도 정은 씨의 괴로움을 대신 설명했다. 아내의 병을 이해하고 크게 뉘우친 남편이 사과하며 달라진 모습을 꾸준히 보여주자 정은 씨는 약을 끊을 정도로 증상이 호전됐다.

화병의 원인이 되는 상대방과 대화를 시도하고 맺힌 마음을 풀어내는 것은 어쩌면 지나치게 이상적인 상황처럼 느껴질지도 모른다. 그만큼 화병을 겪는 사람은 출구 없는 폭풍 속을 온몸이 묶인 채로 헤매는 기분일 테다.

그 고통을 헤아려볼수록 마음은 무거워진다. 한국문화가 만들어낸 이 독특한 병을 앓는 사람이 더는 늘지 않기를, 이와 같은 병을 만들어내지 않는 사회를 꿈꿔본다.

잡고 싶은 기억, 놓고 싶은 기억이 있어요
: 건망증과 치매

정훈 씨는 수십 년 동안 알코올 사용장애로 여러 차례 입원과 퇴원을 반복했다. 음주로 인해 생업에 지장이 생기거나 간 기능 이상 등 건강에 문제가 생겨도 일정 기간 치료하여 몸이 좋아지면 어느새 다시 술을 찾곤 했다. 그런 그가 단주를 해야겠다고 결심했다. 최근의 일을 기억하지 못하는 경우가 잦아지면서부터다.

병원에서 술이 알코올성 치매를 유발할 수 있다는 경고를 수없이 들어왔어도 '내 얘기는 아니겠지.' 하며 귓등으로 흘렸는데 언젠가부터 손주들이 찾아온 일도 기억을 못하게 됐다. 술을 먹고 아침에 눈을 뜨면 어떻게 집에 돌아왔는지 생각나지 않는 블랙아웃은 여러 차례 있었으나 맨정신에 경험했던 일이 떠오르지 않는 것은 처음이었다. 음주에 관대했던 그도 겁이 나기 시작했다. '나'를 잃게 될까 봐 두려워진 정훈 씨는 술을 마시지 않겠다고 결심한 것이다.

우리의 뇌는 왜 기억을 잃게 되는 것일까? 기억은 뇌에 받아들인 인상과 경험 등의 정보를 간직하고 그 갈무리한 정보를 다시 떠올리는 과정을 모두 포함한다. 기억은 감각 기억, 단기 기억, 장기 기억 세 가지로 분류된다. 기억의 첫 번째 단계인 감각기억은 보고 들은 정보를 있는 그대로, 짧은 시간 동안 간직한다. 이런 감각 기억을 해석한 다음 수십 초 정도 유지하는 기억이 두 번째 단계인 단기 기억이다. 마지막으로 단기 기억을 반복하거나 연상해서 반영구적으로 기억하는 단계를 장기 기억이라고 한다.

많은 사람이 기억력이 떨어졌거나 더 나빠질지도 모를 상황을 크게 걱정한다. 수면제나 안정제를 복용해야 할 때도 그렇다.

자신의 질병이나 증상에 관심을 두기보다 수면제를 복용하면 치매가 온다는데 약을 먹어도 되는지, 혹은 우울증을 오래 앓게 되면 치매가 온다는데 어떻게 하면 빨리 우울증에서 벗어날 수 있는지를 묻는다. 증상을 호전시키기 위해 약을 먹는 것보다 약을 먹고 기억력이 없어지는 것이 아닌가를 더 걱정하는 것이다. 흔히 걱정하는 것과 달리 많은 연구가 안정제와 기억력 저하 간에 큰 관련이 없다는 결과를 보여준다. 약을 오남용하거나 장기 복용했을 때 일부 인지기능이 저하될 수 있다고 밝혀졌으나 우울함이나 불안 자체도 기억력 저하를 유발할 수 있어 약을 먹는 것이 오히려 더 심한 기억력 저하를 막아주는 효과도 있다.

또 하나 짚고 넘어가고 싶은 부분이 있다. 많은 이들이 헷갈려하는 건망증과 치매는 비슷한 듯 다르다. 먼저 둘의 공통점은 기억력이 저하되어 어떤 일을 깜빡하고 잊어버리는 증상이 나타난다는 점이다. 그러나 정상적인 노화 과정에서 나타나는 기억력 감퇴 현상은 건망증이고, 인지기능이 저하되어 일상생활을 제대로 수행하지 못하는 상태에 이르는 기억력장애 증상이 치매라는 점에서 차이가 있다.

⋮

건망증은 기억을 저장하는 부위인 해마가 손상되지 않은 상태로 바쁜 생활 속에 상대적으로 중요하지 않은 사실을 잊는 증상이다. 이는 디지털 기기를 많이 사용하거나 여러 가지 일을 한꺼번에 처리하는 젊은 층과 반복적인 가사노동을 하는 주부들에게서 흔하게 나타나며 주로 사건이나 경험의 일부분을 잘 기억해내지 못한다.

반면 치매는 뇌 안의 해마가 손상되어 아예 새로운 기억이 담기지 않는 상태가 되어서 어떤 일이 있었다는 것조차 기억나지 않게 된다. 지난주에 먹었던 음식을 물었을 때 까맣게 잊었다가도 약간의 힌트를 주면 다시 기억나 "아! 그렇다." 하고 생각해낸다면 건망증이며, "무슨 소리야? 언제 그런 걸 먹었어?"라며 역정을 내는 일이 반복된다면 치매를 의심해야 한다.

건망증 증상을 호소하는 대부분의 사람들은 뇌 기능 검사 결과가 정상이다. 증상자가 기억력 저하를 인정하지만 아직 일상생활을 하는 데는 큰 문제가 없다. 그러나 치매는 객관적인 인지기능 검사에서도 분명하게 뇌 기능이 저하된 것으로 나타난다. 건망증이 치매의 초기 증상일 수는 있지만 건망증이 곧 치매인 것은 아니다. 하지만 건망증이 갑자기 너무 심해졌다면 치매로 이어질 가능성은 커진다고 볼 수 있다.

나이가 들면 '베타아밀로이드'라는 독성 물질이 쌓이게 되는데 그로 인해 기억력 저하는 어느 정도 생길 수밖에 없다. 불규칙한 생활 습관이나 지나친 흡연과 음주도 기억력 저하를 더 빠르게 재촉한다. 하지만 다른 신체 기관처럼 뇌도 적절히 관리하면 기억력이 떨어지는 속도를 늦출 수 있다. 뻔한 답변을 내놓는다고 할 수도 있지만 무엇보다 확실한 이 방법은 바로 흔히 알고 있듯 규칙적으로 운동하는 것이다. 운동은 세로토닌, 도파민 등 신경전달물질 수치를 올리고 BDNF라는 신경영양인자를 증가시켜 뇌를 건강하게 만들어준다.

기억을 잃게 될까 봐 두려워하는 내담자가 많지만 반면 너무도 없애고 싶은 기억 때문에 힘들어하는 사람 역시 많다. 이런 기억을 안고 평생 살아야 한다면 그냥 사라지는 게 낫겠다며 진료실을 찾은 승연 씨는 어려서부터 부모에게 학대받은 기억을 떨치지 못해 괴로워하고 있었다. 그는 외상 후 스트레스장애에 가까운 증상들을 호소했다.

외상 후 스트레스장애PTSD, Post-Traumatic Stress Disorder는 심

각한 외상을 겪은 후에 나타나는 불안장애다. 경험하거나 목격한 사건으로 큰 충격을 입은 것을 외상으로 정의하는데, 생명에 위협을 느낄 정도의 트라우마를 겪은 뒤로 자꾸 그 장면이 떠오르고 그 당시와 비슷한 상황을 피하려는 증상이 나타나는 게 특징이다. 이는 쉽게 깜짝 놀라고 멍해지는 등의 증상을 동반한다. PTSD에서 정의하는 생명에 위협을 가할 정도의 트라우마에는 못 미치더라도 삶에 크게 영향을 준 스트레스는 트라우마로 남아 이후의 인생에 계속 영향을 준다. 학창 시절 따돌림받았던 경험, 믿었던 친구나 연인에게 배신당했던 경험, 시험이나 투자에서 겪은 좌절 등의 기억은 잊고 싶은데 잊히지 않아 당사자를 괴롭게 한다.

감정과 관련된 기억은 오래간다. 임신했을 때 남편이 서운하게 했던 기억이 평생 가는 것도 강렬한 원망의 감정과 관련되기 때문이다. 현재의 기분이 우울한 상태라면 과거 힘들었던 나쁜 기억은 더 잘 떠오르며, 떠올랐을 때 감정을 처리하기가 어렵다. 자주 재생되는 힘든 기억은 부정적인 감정을 함께 몰고 와 더욱 자신을 고통에 빠뜨린다.

그렇기에 트라우마를 다룰 때는 안정화가 먼저다. 힘들지만

ARK

소중한 기억을 천천히 쌓아가며

그 기억과 추억을 함께한 사람들에게 힘을 얻어

서로 계속해서 걸어가길 바란다.

현재의 마음이 안정되기만 해도 예전의 안 좋은 기억은 덜 떠오르게 된다. 그리고 떠오르더라도 힘든 마음의 깊이가 얕아지고 전보다 금방 잦아든다.

과거의 경험 자체는 바꿀 수 없지만, 경험을 평가하고 받아들이는 생각은 바꿀 수 있다. 그렇기에 '어떻게' 기억하느냐가 중요하다. 온통 아픈 기억으로만 받아들이는 것이 아니라 그땐 최선을 다했다며 스스로를 토닥여주자. 자신만을 탓하지 말고, 당시의 상황이나 상대방 탓을 어느 정도 해보는 것도 도움이 된다.

기억하고 싶고 기억해야 하는 것은 쉽게 잊는데 통째로 버리고 싶은 기억은 질기게 뒤를 쫓아온다. 기억의 끈이 끊기지 않아 오히려 야속하다. 소중한 기억은 언제나 쉽게 불러올 수 있고, 잊고 싶은 기억은 적당히 잊으며 살 수 있다면 얼마나 좋을까. 뜻대로 되지 않는 일이지만, 소중한 기억을 천천히 쌓아가며 그 기억과 추억을 함께한 사람들에게 힘을 얻어 서로 계속해서 걸어가길 바란다.

이것도
스트레스인가요?
: 스트레스

우리나라 사람들이 가장 많이 사용하는 외래어가 스트레스stress 라고 한다. "스트레스 때문입니다. 스트레스받지 말고 잘 먹고 편히 주무세요."라는 말은 의사들의 단골 멘트이기도 하다. 그런데 대체 어떻게 스트레스를 받지 말라는 말일까? 의사의 당부처럼 모든 문제의 원인이라는 '스트레스'를 받지 않으려고 기를 써 보지만, 그 노력과 몸부림이 더 무거운 스트레스로 돌아올 때가 많다.

주말만 되면 너무 졸려서 아무것도 못하겠다는 유민 씨가 진료실을 찾아왔다. 그는 본인이 왜 이렇게 까라지는지 모르겠다며 답답함을 하소연했다.

"회사생활은 어떤가요?"

"괜찮아요. 일이 많기는 하지만 같이 계시는 분들이 정말 잘해주시거든요."

"일이 어느 정도로 많으신데요?"

"보통 오후 8시에서 9시까지 일을 해야 겨우 마감을 하는데 집에 가면 10시 정도가 되거든요. 일할 때는 집중도 잘되고 괜찮은데 집에 돌아오면 완전히 뻗어서 손가락 하나도 못 움직이겠어요."

"일이 너무 많은 게 스트레스가 돼서 퇴근 후나 주말에 피곤하신 건 아닐까요?"

"일이 스트레스라는 생각은 들지 않았어요. 일하는 동안에는 너무 재미있고 집중도 잘되니까요. 이전 직장에서 사람 때문에 엄청 힘들었던 것 아시잖아요? 그런데 지금 회사 동료들은 정말 좋거든요. 사람 때문에 힘들었던 예전에 비하면 지금 일이 많은 정도는 아무것도 아닌데 진짜 왜 피곤한지 모르겠네요."

스트레스stress는 어떤 물체에 대해 외부에서 가해지는 압력이라는 말로 19세기 물리학 영역에서 쓰던 '팽팽히 조인다'라는 뜻의 라틴어 스트링게르stringer에서 기원했다. 스트레스라는 개념을 의학에 접목시켜 널리 쓰이게 만든 이는 캐나다의 내분비학자 한스 셀리에다. 그는 일반적응 증후군이라는 용어를 사용하여 어떠한 종류의 스트레스 요인이라도 그에 따른 신체 반응은 매우 유사하다는 점, 이런 스트레스 요인이 오랫동안 지속되면 질병으로 발전할 수 있다는 점을 설명했다.

셀리에는 자기 옆에 있던 실험실에서 동물의 난소를 통해 분리해낸 어떤 물질을 알게 됐다. 그는 이 추출물이 새로운 호르몬이라는 가설을 세운 후 날마다 쥐에게 물질을 주사하며 변화를 살폈다. 실험에서 그는 흥미로운 사실을 발견했다. 신장 위에 붙은 호르몬 분비기관인 부신이 커졌고 면역 조직이 위축됐으며 위궤양이 생겼던 것이다. 자신이 난소 추출물에서 새로운 여성 호르몬의 기능을 발견했다고 생각하며 흥분한 셀리에는 난소 추출물로 인한 변화를 증명하기 위해 추출물 대신 식염수를 주사한 대조군 실험을 해보기로 했다.

⋮

그런데 전혀 예상치 못한 실험 결과가 나타났다. 난감하게도 난소 추출물이 아닌 식염수를 주사한 쥐들에게도 비슷한 증상이 일어난 것이다. 그는 소금물 주사를 맞은 쥐가 비슷한 변화를 보인 사실에 크게 실망했고 실험동물이 보인 변화가 난소 추출물과 관련이 없다는 결론을 내렸다. 그리고 두 집단에게 공통으로 발생한 질환의 원인을 찾아보려 했다.

쥐를 다루는 데 서툴렀던 셀리에는 난소 추출물이나 식염수를 쥐에게 주사할 때마다 쥐들과 사투를 벌였다. 쥐들은 그의 손에 잡히지 않으려 도망쳤고 주사를 맞지 않으려고 발악했다. 셀리에는 실험에 이용된 쥐들이 날마다 겪은 끔찍한 경험으로 인해 신체 변화가 일어났을 것이라고 가정하고 이를 증명하는 실험을 시작했다.

그는 추운 겨울 쥐들을 연구소 건물 지붕 위에 올려놓거나 지나치게 더운 보일러실에 가두기도 하고 일부러 상처를 낸 다음 치료하는 일을 반복했다. 예상대로 극한 상황에서 시달린 쥐들에게 앞서 주사 실험을 했던 쥐들과 비슷한 신체 변화가 나타났다.

셀리에는 실험 내용을 과학저널 〈네이처〉에 논문으로 정리해서 발표했다. 주사액이나 극한의 환경, 상처 등 각기 다른 자극 요인이 동일한 변화를 유발한다는 것으로 '스트레스 요인의 종류와 관계없이 이에 대한 신체의 반응은 유사하다'는 내용이었다.

그는 손상을 입히는 자극의 유형에 무관하게 전형적인 증상이 나타난다며 이를 '일반적응 증후군GAS, General Adaptation Syndrome'이라고 했는데 그 후 이와 같은 증상에 '스트레스 반응'이라는 이름을 붙였다.

유민 씨는 당장 심적인 고통이 나타나는 것만을 스트레스라 생각하고 있었다. 평소 고민하던 인간관계에서 오는 고통뿐 아니라 업무 자체도 얼마든지 스트레스일 수 있다. 보통 스트레스를 부정적인 사건으로 받는 것으로 생각하는데 셀리에의 실험에서처럼 자극의 유형과 관계 없이 긍정적인 사건도 스트레스가 될 수 있다. 결혼, 출산은 물론 놀이기구를 타거나 여행을 앞둔 상황도 스트레스로 작용한다.

외부의 자극 외에도 걱정, 후회, 자책 등 내 안에서 생긴 자극들이 스트레스로 작용하기도 한다. 유민 씨는 운동과 자격증 준비를 하며 주말을 생산적으로 보내고 싶은데 생각과는 달리 방에서 잠이나 자고 있는 자신을 비난했고 이것이 큰 스트레스로 작용하고 있었다.

한참 설명을 듣던 유민 씨는 한결 홀가분해진 표정으로 "제가 정말 스트레스가 많았던 것 같네요. 좀 쉬어야겠어요."라고 답했다. 업무 환경이 나아졌는데도 여전히 무기력한 자신을 받아들일 수 없었던 그가 상황을 인지하고 받아들인 것이다.

"가끔 가슴이 두근거리고 어지러운데 이것도 스트레스 때문에 그럴 수 있는 건가요?"

유민 씨가 물었다. 사실 이 질문은 내담자들이 가장 많이 하는 질문 중 하나다. 당연히 일어날 수 있는 일인데 의외로 스트레스와 신체 반응을 연결 짓기 어려워하는 사람들이 많다. 스트레스 조절 이상으로 발생하는 질환인 공황장애는 가슴이 이유없이 뛰고 호흡이 가빠지며 손발이 떨리고 저리는 등의 신체 증상이 특징이다. 이런 증상이 있으면 응급실을 거쳐 여러 과에서 검사를 받지만 정작 공황장애를 진단하고 치료하는 정신건강의학과에 내원하는 것은 어려워한다. 스트레스 때문에 이런 신체 반응이 온다는 것을 받아들일 수 없기 때문이다.

한스 셀리에는 스트레스를 정신적 혹은 육체적 위험에 처음

노출됐을 때 나타나는 즉각적인 반응단계인 경보단계, 스트레스 자극에 계속해서 대응하며 스트레스를 견디고 있는 상황인 저항 단계, 스트레스에 장기간 노출되어 대항할 힘을 소진하고 몸의 모든 기능이 저하된 탈진단계의 3단계로 나누었다. 스트레스 요인이 오랫동안 지속되어 마지막 단계인 탈진단계에 빠지게 되면 위궤양, 고혈압과 심혈관 질환 등의 신체질환이나 공황장애나 우울, 불면 등의 정신질환으로 발전할 수 있다.

유민 씨에게는 스트레스를 어떻게 풀어야 할지도 큰 고민거리였다. 무기력하게 있다가도 잠깐 무엇인가를 사거나 집에 택배가 도착했을 때는 기분이 좋아지다 보니 월급보다 더 많은 돈을 쓰는 달이 많아졌기 때문이다. 예전에 좋아하던 달리기를 해볼까 했지만 몸을 일으키기도 힘든 처지라 엄두가 나지 않았다.

스트레스를 푸는 데 특별한 방법이 있는 것은 아니다. 어떤 것이든지 '적당히'만 한다면 괜찮다. 당장의 스트레스 상황에서 빠져나오기 위해서 운동을 하거나 그림 그리기, 음악을 듣는 것도 좋고 맛있는 음식을 먹는 것도 괜찮다. 무엇이든 여러 가지 활동을 하는 것만으로도 도움이 되지만 그중에서도 스트레스는 교감신경을 활성화시켜 근육을 긴장시키기 때문에 반대로

스트레스를 푸는 데

특별한 방법이 있는 것은 아니다.

어떤 것이든지

'적당히'만 한다면 괜찮다.

근육을 이완하고 호흡을 천천히 하면서 부교감신경이 작동할 수 있도록 해주는 활동을 권한다. 이와 같은 종류로 마사지나 반신욕, 명상, 스트레칭 등이 있다.

그런데 더 중요한 것은 모든 스트레스를 완전히 없애려 애쓰지 말아야 한다는 것이다. 스트레스가 극심한 상태에서는 무엇을 해도 이를 풀기가 어렵다. 평소에 스트레스를 푸는 데 효과적이었던 방법들도 잘 듣지 않을 확률이 높다. 이와 같은 상황을 답답해하며 억지로 스트레스를 모두 풀려고 하면 폭식, 폭음 등 극단적인 행동을 하게 된다.

스트레스를 깡그리 없애려 하는 것은 무너지지 않는 상대와 맞서 싸우는 것이나 다름없다. 이러한 '싸움 반응'은 스트레스를 증가시키는 결과를 낳는다. 그러므로 어느 정도만 스트레스를 조절해야겠다는 마음을 가지는 것이 좋겠다.

스트레스를 아예 받지 말라는 것은 불가능한 이야기다. 해롭다는 것을 안다고 해서 피하거나 줄이기도 쉽지 않다. 지치거나 신체에 변화가 생겼을 때 내가 겪고 있는 상황이 스트레스 상황일 수 있다는 것만 잊지 않도록 하자. 내 몸을 망치기 전에 브레이크를 걸기 위해서는 좋은 일이든, 싫은 일이든 스트레스라는 것이 나에게 다가왔음을 알아차려야 한다. 그러기 위해 언제나 자신의 마음과 상태에 세심하게 귀를 기울이자. 해를 끼치는 손님은 안전하게 멀리 보내고, 반가운 손님은 현명하게 잘 받아들이기 위해서.

Part 4.

중요한 건 꺾이지 않는 마음이라더니

자기 의지와 그 외의 것

누구에게도 의지하면 안 될 것 같아요
: 의지와 의존 / 도파민 중독

"누구에게도 의지하면 안 될 것 같아요. 선생님께도 의지하면 더 힘들어지지 않을까요?"

사람들에게 받은 상처가 많았던 은주 씨는 누군가를 믿고 의지했다가 더 큰 상처를 받지 않을까 두려워했다. 그는 불안하고 답답한 마음에 거의 매일 병원에 내원하면서도 괜히 온 것 같다며 괴로워했다. 누구에게도 더 의지하면 안 된다는 생각에, 털어놓지 않으면 못 견딜 정도로 힘든 이야기는 꺼내지 않을 때도 많았다. 마음이 힘들어 기댈 곳이 필요했던 은주 씨는 상처를 받을 것이 두려워서 의지조차도 하지 못하게 된 것이다. 그렇게 우울감, 외로움 등의 부정적 정서는 점차 더욱 악화됐다. 은주 씨의 고통스러운 과정을 곁에서 지켜본 나로서는 그가 의지하는 정도를 넘어 의존하게 될까 봐 걱정이었다. 의존하게 되면 관계가 끊어질 때 더 괴롭기 때문이다.

의존을 진단할 때 세 가지가 있는지 확인한다. 바로 내성과 금단, 그리고 갈망이다. 내성은 똑같은 양인데도 반복적으로 사용하면서 효과가 이전에 못 미치는 것이다. 금단은 갑자기 사용을 중단했을 때 심리적, 신체적으로 변화가 나타나는 것이다. 마지막으로 갈망은 계속해서 의존하는 대상이 떠오르고 사용하고 싶은 욕구나 충동을 말한다.

알코올 사용장애를 예로 들어보자. 술을 이전에는 소주 반 병만 마셔도 기분 좋게 취할 수 있었는데 어느 순간부터 한 병을 마셔도 취하지 않는 내성이 생긴다. 술을 마시지 않았더니 잠이 오지 않고 다음 날 식은땀, 손 떨림, 두근거림, 불안 등이 심하게 나타나는 금단증상을 겪는다. 그러다 보면 종일 술 생각이 나고 마시지 않으려고 해도 조절되지 않는 충동의 갈망이 드러난다.

술에 의존하게 됐다고 볼 수 있다.

의지하는 것이 아니라 의존하는 대상이 사람이 되는 것 또한 비슷하게 생각해볼 수 있다. 똑같은 시간을 만나도 전만큼 충족되는 느낌을 느끼지 못하고 더 많은 시간, 자주 만나야만 충족되는 느낌을 받는다면 내성이 생긴 셈이다. 그 사람과 연락이 되지 않거나 보지 못하게 되면 불안하고 초조하고 의심이 드는 것은 금단증상이다. 계속 그 사람이 생각나고 연락하지 않고 참아보려 해도 조절되지 않는 것은 갈망이다.

힘든 이야기를 털어놓거나 다른 사람이 나의 힘든 점을 알아줬을 때 도파민이라는 신경전달물질이 분비된다. 뇌에서 보상회로에 영향을 끼치는 것이다. 술이 기분을 좋게 해주는 것은 이러한 현상과 작동 원리가 같다. 즉, 술을 마시면 도파민 분비가 증가해서 보상 회로를 자극한다. 그렇다면 약이나 술, 커피 같은 물질이나 도박, 게임, 쇼핑 등의 행위, 사람과의 관계에 의존 및 중독됐을 때는 어떻게 해야 할까? 의지하는 정도를 조절하는 방법이 있을까?

알코올 의존이 문제라면 술을 마시는 이유를 찾아보는 것이 먼저다. 스트레스가 해소되거나 기분이 좋아져서, 술을 마시고 영화를 보면 더 재미있게 볼 수 있어서, 하루를 마무리하는 기분을 내기 위해서, 긴장을 낮추기 위해서, 편하게 잠들기 위해서, 힘든 기억을 지우기 위해서 등 긍정적인 효과를 얻거나 부정적인 감정을 해소하기 위해 마시는 사람들이 많다. 그런데 술이 그만큼 효과적이고 강력하기 때문에 술에 의존하게 되는 경우가 많은 것이 사실이다. 술만큼 기분을 좋게 해주는 것이 없거나 술이 아니면 잠을 잘 수 없으니 술을 계속 찾게 된다.

마찬가지로 사람에게 의존하게 됐을 때도 이유를 찾아보는 것이 우선이다. 외롭고 공허한 마음을 달래기 위해 사람을 만나는지, 이야기를 털어놓을 상대가 필요한 것인지, 인정해줄 사람이 필요한 것인지 말이다. 어떻게 해도 떠나지 않을 사람을 찾고 싶은 마음을 갖고 있거나 사람에게 의존하게 되지 않을까 걱정하는 사람은 사람으로부터 강렬한 무언가를 얻는 사람이다. 그래서 대체할 수 있는 무언가를 찾을 필요가 있다. 무엇보다 중요한 것은 완전히 대체할 수 있을 거라는 기대는 하지 않는 것이다.

물질이나 행위, 사람 모두 힘들 때 더 찾게 된다. 부정적인 감정을 해소하기 위한 목적으로 의지했다면 더욱더 의존하게 될 것이다. 이런 마음을 목발에 빗대어 보면 이해하기 쉽다. 다리가 다쳤을 때 우리는 걷기 위해 목발에 의지한다. 다친 정도가 심할수록 목발에 더 힘을 실어 의지하게 된다. 목발이 없으면 얼마 걷지 못하는 의존 상태가 되기도 한다. 이렇게 걷기가 어려울 정도로 심하게 아플 때에야 물론 목발에 크게 의지하게 되지만, 점차 통증이 사라지고 회복되면서 목발은 거추장스러운 존재가 되기 마련이다.

병원에 와서 정신건강의학과 의사에게 의지하고 싶은 마음이 드는 것도 그만큼 지금 고통스럽기 때문이다. 아플 때는 목발에 충분히 의지하고 다친 다리로는 걷지 않는 것이 빨리 나을 수 있는 지름길이다. 정서적인 고통도 마찬가지다. 다른 사람들에게 의지하다가도 심리적으로 점차 나아지면 자연스럽게 덜 의지하게 된다. 하루가 멀다 하고 내원했던 은주 씨도 증상이 나아지면서 일주일에 한 번도 내원할 필요가 없어지게 되었다. 점차 한 달에 한 번 정도로 내원 횟수를 줄이다가 치료는 종결됐다.

물론 생각처럼 쉽지만은 않은 과정이다. 의지하는 마음을 조절하기 어려울 때는 규칙을 정해보는 것이 좋다. 일정하게 무언가를 하면 그 안정감이 불안을 다스려준다. 만나는 사람이 연

아플 때는 목발에 충분히 의지하고

다친 다리로는 걷지 않는 것이

빨리 나을 수 있는 지름길이다.

정서적인 고통도 마찬가지다.

락을 받지 않아서 불안하다면 시간을 정해서 연락해보자. 한 번 연락했을 때 통화하는 시간도 정해두는 것이 좋다. 나 역시 의존할 것을 두려워하는 내담자는 진료를 할 때도 최대한 진료 간격이나 시간을 일정하게 하려고 노력한다.

어느 정도는 의지하되 나머지 시간은 다른 방법들을 사용하며 이겨내는 경험이 내가 누군가에게 혹은 무엇인가에 의존 아닌 의지할 수 있는 상태를 유지하게 도울 것이다. 자신과 상대방의 마음이 다치지 않도록 서로에게 잘 기댈 때 비로소 스스로 온전해지는 순간이 찾아온다.

부모에게서 독립하고 싶어요 : 가스라이팅

지은 씨는 힘이 하나도 없었다. 머릿속은 아무것도 하고 싶지 않다는 생각으로 가득했고 종일 우울했다. 몸속의 모든 에너지가 소진된 전형적인 번아웃Burn-out이다. '타버리다.', '소진하다.'라는 단어의 의미 그대로, '번아웃 증후군Burn-out Syndrome'은 정신적·신체적 피로로 인해 무기력해진 상태를 뜻한다.

지은 씨는 번아웃의 원인을 부모님의 가스라이팅이라고 생각했다. 그녀는 대학교에 입학하기 전까지만 해도 자신이 친구들과 비슷한 삶을 살고 있는 줄 알았다. 부모님은 딸에게 학교가 끝나면 무조건 집에 바로 돌아오라며 엄격히 하교시간을 지키게 했다. 딸이 어떤 친구들을 만나는지, 오늘은 무엇을 하며 지냈는지 꼬치꼬치 물으며 교우관계와 동선을 일일이 체크했다. 그러나 지은 씨는 '내가 딸이어서 걱정이 되시겠지.'라고 생각하며 부모님의 잔소리를 순순히 받아들였다. 그런데 딸에 대한 부모의 지나친 간섭과 통제는 지은 씨가 대학교에 입학하고 성인이 된 후에도 계속 이어졌다.

집에서 대학교까지는 편도로만 거의 세 시간이 걸리는 거리였는데, 지은 씨를 못 미더워한 부모님은 자취나 기숙사 생활을 절대 허락하지 않았다. 그 먼 거리를 지은 씨는 날마다 통학했다. 새벽에 일어나 학교에 갔다가 수업을 마치면 바로 돌아오는 생활을 4년 동안 반복했다. 놀랍게도 부모님이 정한 딸의 통금시간은 오후 9시였다고 한다. 그러니 친구들과 어울리는 것은 거의 불가능했다. 동아리 활동이나 취미생활 역시 꿈도 꿀 수 없었다.

학업을 마치고 취업했으나 상황은 학생 때와 크게 달라지지 않았다. 집에서 두 시간 거리의 직장을 집에서 출퇴근했고 통금 시간도 여전했다. 너무나 지쳐서 독립하고 싶다는 이야기를 꺼내 봤지만 부모님은 불같이 화를 냈다. "네가 누구 덕에 이렇게 멀쩡하게 사회생활을 하고 있는 줄 아느냐."며 노여워하는 부모님에게 더 이상은 이야기를 꺼내기가 어렵다며 지은 씨는 한숨을 쉬었다.

지은 씨의 사정과 비슷한 이야기를 진료실에서 많이 듣는다. 부모님과의 관계뿐만 아니라 친구와의 관계, 연인과의 관계, 선생님과의 관계 등에서 발생하는 다양한 통제와 간섭 때문에 많은 사람이 힘들어하고 있는 것이다.

통제 욕구는 상황이나 사람을 자신이 생각하는 대로 조절하려는 마음이다. 생존과 연관 있는 기본 욕구 중 하나인데, 원시사회에서는 상황을 잘 통제하는 사람이 살아남기에 수월했을 것이다. 내 삶을 스스로 조절하고 있다는 느낌의 자기통제감은 자존감에서도 중요한 요소이기도 하다. 그러나 이 통제하고자 하는 마음이 너무 클 때 문제가 생긴다. 보통은 다른 사람을 힘들게 하지만 자기 자신을 힘들게 만들기도 한다.

강한 통제 욕구로 인해서 상대를 힘들게 하는 부부관계도 있다. 너무 다르게 살아온 두 사람이 같이 살게 되면서 많은 문제

⋮

부모님과의 관계뿐만 아니라

친구와의 관계,

연인과의 관계,

선생님과의 관계 등에서 발생하는

다양한 통제와 간섭 때문에

많은 사람이 힘들어하고 있는 것이다.

⋮

가 발생한다. 청소는 얼마나 자주, 어디까지 해야 하는지, 정리 정돈과 분리수거는 어떻게 하는지와 같이 소소한 상황에서부터 그때그때 의견은 다르게 나타난다. 그런데 한 사람의 통제 욕구가 지나치게 강하면 상대방을 압박하고 강요하기 시작한다. 지시한 본인의 뜻을 그대로 따르지 않으면 답답하다며 짜증을 내거나 화를 내는 패턴이 반복된다. 그러나 더 답답한 것은 당해야 하는 상대방이다. 지금까지 자신에게 편한 대로 큰 문제 없이 살아온 생활방식을 상대방에 맞춰 바꾸는 일도 쉽지 않은데, 매번 잘못했다며 혼나기까지 한다면 울어도 시원찮게 억울한 일일 것이다.

요즘 대중화된 심리학 용어 '가스라이팅gaslighting'은 상황을 조작해 상대방의 판단을 흐리게 만들고, 이를 통해 상대방을 지배하며 조종하는 정서적 학대 행위를 뜻한다. 상황과 사람을 과도하게 통제하려는 욕구가 만들어낸 문제로 '심리 지배'라고도 하는데 가스라이팅을 당한 사람은 자신을 믿지 못하게 되면서 가해자에게 의존하는 경향을 보인다.

가스라이팅은 1938년 영국에서 상연된 연극 〈가스등Gaslight〉에서 유래했다. 연극은 아내의 재산을 노리고 결혼한 남편이 속

임수와 협박으로 순진한 아내를 정신병자로 만드는 과정을 그렸다. 여주인공인 폴라는 부유한 성악가인 이모 앨리스가 죽자 거액을 상속받는다. 아내 폴라의 유산을 노리고 결혼한 남편 그레고리는 아내에게 하지도 않은 잘못을 했다며 다그치기 시작한다. 사랑하는 남편이 거짓말을 한다고 생각할 수 없었던 폴라는 점차 자신의 기억력을 의심하며 심리적으로 불안해진다.

그레고리는 밤마다 외출을 가장하고 저택에 있는 앨리스의 보석을 찾으려 다락방을 뒤진다. 다락방 불이 켜질 때마다 폴라의 방 가스등 불빛은 다른 방 점등의 영향으로 희미해지는데, 매일 밤 희미해지는 가스등 불빛과 알 수 없는 발소리에 대해 의심을 하게 된 폴라가 남편에게 사실을 이야기하자 남편 그레고리는 폴라가 환각을 보는 것이라고 우기며 폴라를 정신이상자라 윽박지른다. 남편은 네가 잘못 본 것이며 엉뚱한 소리라며 아내를 계속 비난했고, 주변 환경과 소리까지 조작해 현실감을 잃도록 만들었다. 점점 혼란스러워진 폴라는 시간이 갈수록 스스로를 믿지 못하고 가해자인 남편에게 절대적으로 의지하게 된다.

그런데 당신의 생각은 틀렸고 내 의견이 맞으니까 나를 따르라고 주장하는 것이 무조건 가스라이팅일까? 어떤 수준의 행동까지 가스라이팅으로 볼 것인가는 여전히 논란 속에 있다. 사람마다 성격이나 표현방식에 차이가 있다 보니 자신의 의견을 상대에게 유난히 강하게 내세우는 사람이 간혹 있다. 의식적이든 무의식적이든 타인을 통제하고 지배하려 든다면 그게 가스라이팅이라는 의견도 있지만, 이 정도의 주장을 가스라이팅이라고 규정하진 않는다.

무엇보다 주의 깊게 살펴야 하는 점은 가스라이팅을 시도하려는 자의 의도다. 상대방을 세뇌시킬 목적이나 자신의 요구를 억지로 강요해서 관철시키려는 행동이 가스라이팅인 것이다. 이는 심리적인 폭력이자 학대다. 게다가 타인보다 가족, 친구, 연인, 배우자처럼 친밀하고 절대적으로 의지할 수 있는 관계에서 많이 일어나는 문제라서 고통과 후유증이 더욱 심각하다.

지은 씨의 부모님이 지은 씨를 통제하는 이유가 딸을 보호하기 위한 목적이라고 주장한다면 가스라이팅이라고 판단하기 어려울지도 모르겠다. 그러나 중요한 것은 가스라이팅의 기준보다 지은 씨가 부모님의 통제에 심한 스트레스를 받고 있다는 점이다. 진료실을 찾은 그녀의 번아웃을 해결하기 위해서는 부모로부터 독립하는 것이 무엇보다 시급해 보였다. 부모님과의 분리

⋮

무엇보다 주의 깊게 살펴야 하는 점은
가스라이팅을 시도하려는 자의 의도다.
상대방을 세뇌시킬 목적이나 자신의 요구를
억지로 강요해서 관철시키려는 행동이
가스라이팅인 것이다.
이는 심리적인 폭력이자 학대다.

⋮

를 위해서 지은 씨가 독립하지 못하는 이유를 다뤄보기로 했다.

"부모님의 간섭이 지나치다는 건 알아요. 그런데 다 저를 위해서 하는 말씀이잖아요. 제가 친구들과 어울리느라 술을 마시고 통금 시간을 어긴 적이 한 번 있었는데 그때 엄마가 전화를 수십 통 했어요. 엄마는 '너 지금 당장 안 들어오면 죽어버리겠다.'며 몹시 흥분하셨어요. 만일 제가 엄마의 말을 거역하고 나가서 살다가 저 때문에 엄마가 다치거나 죽으면 어떡해요?"

자식 입장에서는 부모의 통제에서 벗어나려 하는 행동이 마치 부모의 사랑을 거부하고 반항하는 것처럼 생각돼 자책할 수 있다. 지은 씨 역시 자책에 빠져 있었다. 그런데 이와 같은 죄책감은 적절한 죄책감이 아니다. 적절한 죄책감은 내가 잘못한 만큼의 죄책감을 느끼는 것인데 부모님이 지은 씨를 믿지 못하고 불안해하는 것은 지은 씨의 잘못으로 인한 것이 아니기 때문이다. 딸을 믿지 못하고 압박해서 아프게 한 잘못을 저지른 사람은 오히려 지은 씨의 부모였다.

지은 씨처럼 무조건 본인을 탓하는 사람들이 있다. 심지어 선물을 줬는데 상대방이 부담스러워하는 것 같다며 자책하는 경우도 있다. 극구 사양하는 상대방에게 억지로 선물을 안긴 것도 아닌데, 가볍게 사양하는 인사치레 한마디에도 괴로워하는 여린 사람을 보면 이 세상이 그에게 너무 가혹할 것 같아 안타깝다.

지은 씨와 여러 번 상담을 진행하며, 부모님이 힘들어하더라도 지은 씨의 탓이 아님을 반복적으로 이야기해주었다. 지은 씨가 독립을 한다 해서 부모님이 다치는 일은 없겠지만 만약 부모님의 위협이 행동으로 이어지더라도 부모님 본인의 성격 탓이지 딸이 걱정시켜 일어난 일이 아니라고 말이다.

지은 씨에게 너무 강하게 이야기하면 치료자인 의사 역시 통제하는 부모님과 비슷하게 느껴져 압박감에 힘들어하거나 더욱 자책할 가능성이 있기에 상담은 조심스럽고 천천히 진행하려 노력했다. 지은 씨 부모님을 만나 함께 상담을 진행하며 딸의 독립을 받아들이도록 설득하기도 했다. 마침내 지은 씨는 독립하여 그토록 원하던 혼자만의 공간에서 생활하게 됐다. 지은 씨 부모님이 자주 연락하기는 해도 걱정했던 일이 일어나지는 않았다. 그렇게 지은 씨에게서 번아웃은 사라졌다.

"부모님의 통제와 자율로부터 나를 지킬 수 있게 됐어요"

규형 부모님으로부터 독립하고 나서 요즘은 어때요?

지은 생활에 숨통이 제대로 트였어요. 게다가 제 생활뿐 아니라 부모님과의 관계도 좋아졌어요.

규형 지은 씨가 독립했을 때 처음에는 부모님이 많이 힘들어 하셨잖아요.

지은 네. 부모님은 "그동안 너를 어떻게 키웠는데 우리를 배신하느냐?" 식으로 이야기하기도 했고, 그동안 키워준 나보다 의사 말을 더 듣는 것 같다면서 화도 내셨죠. 그런데 지금은 큰 문제 없이 잘 지내고 있는 제 모습을 보면서 부모님께서도 불안한 마음을 조금씩 내려놓고 계시는 중인 것 같아요.

규형 부모님 댁에는 종종 들르세요?

지은 가끔씩 가는데, 전에는 부모님 집에 있는 내내 불편하게 있었거든요. 그런데 요즘은 전과 달리 밝은 모습을 보여드려요. 이런 제 모습에 부모님도 서서히 편안한 마음을 가지게 됐고요. 독립하고 나서 처음에는 집안 행사로 본가에 갈 일이 생길 때마다 '집에 갔다가 자고 가라고 하면 어떡하지?' 하는 걱정에 마음이 무거웠는데요. 희한하게도 부모님과의 관계가 편해지면서 집에 가는 것이 더 이상 부담스럽지 않게 됐어요. 심지어 이제는 자진해서 하룻밤 자고 오는 일도 생겼다니까요.

규형 큰 변화네요. 지은 씨가 편안해진 만큼 자식 걱정을 내려놓은 부모님도 편해지신 걸 거예요.

지은 맞아요. 두 분이 오붓하게 등산이나 나들이도 다니면서 자신들의 삶을 살고 계세요.

규형 어쩌면 통제에 갇혀 있었던 사람은 지은 씨보다 부모님이었던 것 같네요.

지은 정말 그런 생각도 드네요. 저는 이 평화를 잘 유지하고 싶어요. 그리고 저는 제 자신을, 부모님은 당신 스스로를 계속해서 잘 지켜나갔으면 좋겠어요.

인사치레도 거짓말인가요?
: 하얀 거짓말

우리가 일상적으로 쓰는 말 가운데 3분의 1이 거짓말이라고 한다. 설마 싶을 정도로 높은 수치다. 평범한 사람들의 언어 행위 중 20%에서 33%가 거짓말이라는 통계는 논문 결과라 해도 고개를 갸웃하게 만든다. 하지만 관계를 부드럽게 유지하려는 마음으로 내가 했던 거짓말을 생각해보면, 영 의아한 결과는 아닌 것 같다. 그저 거짓말을 하고 있다는 가책이 없었을 뿐이다.

인사처럼 했던 거짓말을 생각해 보니 주고받았던 말 중 상당수가 거짓말이었다는 것을 인정하게 된다. 출근하며 "좋은 아침입니다."라고 인사했으나 오늘 나는 몸도 마음도 엉망으로 우글쭈글 구겨진 상태였다. 그러나 내 사정을 정직하게 표현한답시고 "좋은 아침!"을 외치며 밝게 웃는 상대에게 "나 오늘 아주 기분 안 좋거든요."라고 대답할 수는 없다.

겉치레 인사로 했던 거짓말도 만만치 않다. 어색한 친구에게 "언제 밥 한번 먹자."라며 인사하고, 머리 끝까지 화가 났는데도 화 안 났다며 억지로 웃은 적도 있었다. 생활에서 의례적으로 경험하는 거짓말 역시 다양하다. 중국집 주인의 "방금 출발했습니다.", 단골 병원 간호사의 "이 주사는 하나도 안 아파요.", 대학 수석 합격생의 "학교 수업만 충실히 들었어요.", 장사꾼의 "밑지고 팝니다.", 연예인의 "우린 그냥 좋은 선후배 사이입니다." 등도 우리는 그러려니 넘기고 만다.

전에 EBS에서 거짓말을 주제로 방송을 기획한 적이 있었다. 성인남녀 10명에게 열흘 동안 거짓말 일기를 쓰게 했더니 하루에 세 번 정도 거짓말을 했다고 적었다. 그러나 상시 마이크를 달아놓고 측정한 결과는 하루에 약 2백 번, 약 8분에 한 번 꼴로 거짓말한 것으로 나타났다. "좋은 아침, 얼굴 좋아졌네."와 비슷한 의례적인 인사치레는 물론, "나는 거짓말 안 하는데?"라고 부정하는 말들이 모두 거짓말로 분류된 것이다.

진료실에서도 거짓말에 대한 다양한 상담 사례를 다룬다. 일부러 거짓말을 하려는 것은 아니지만 힘든 증상이 있는데도 고민을 털어놓지 않거나, 별로 힘들지 않은데도 힘든 것처럼 부풀리는 것 모두 거짓말이라면 거짓말이다.

이보다 한층 더 어려운 사례는 칭찬을 받고도 상대가 어떤 다른 의도가 있어서 칭찬한 것이라고 의심부터 하는 경우들이다. 이렇게 칭찬을 의심하고 부정하는 내담자는 무조건 상대가 거짓말을 하는 것으로 단정하고 본다. 이런 식으로 마음이 닫히면 자신이 절대 칭찬받을 만한 일을 했다고 생각하지 않는다. 내가 잘했다는 마음이 들지 않는 일에 대해 칭찬받으면 그냥 겉치레 인사라 느끼는데, 설상가상 칭찬의 내용이 구체적이지 않고 애매모호하면 부정적인 느낌을 더 심하게 갖는다.

문제는 스스로 자신을 칭찬받을 만한 자격이 없다고 여기는 사람은 어떤 좋은 말도 칭찬으로 받아들이지 못한다는 점이다. 칭찬받을 것이 없는 자신에게 사탕발림으로 립 서비스하는 상대방들을 모두 거짓말쟁이라고 생각하는 것이다.

거짓말은 남을 속여 넘기려는 기만행위로 자신을 좀 더 괜찮은 존재로 보이게 하려는 허세나 난처한 상황과 반감의 대상에서 벗어나고자 하는 심리적 동기에서 비롯된다. 대체로 거짓말을 잘하는 사람은 거짓임을 들키지 않으려 머리를 써 자신이 남보다 정직하게 보이도록 연기한다. 자신의 이익을 위한 거짓말이 대부분이지만 중압감과 죄책감, 공포와 같은 심리적 상태가 과시적인 행동으로 나타나는 것이라는 견해도 있다.

거짓말은 두 가지 유형으로 나뉜다. 나쁜 유형은 상대에게 피해를 주는 거짓말이다. 나쁜 의도의 거짓말real lie은 검은 거짓말black lie로, 사실이 아닌 것을 사실인 것처럼 바꾸고 포장한다.

다른 유형은 악의 없이 선의에서 하는 하얀 거짓말white lie이다. 상대의 감정을 상하지 않게 하면서 의도한 바를 이루기 위해 하는 이런 거짓말은 긍정적인 순기능도 적지 않다. 상황을 빠르게 진정시키고 결속시키는 데 큰 도움을 주기 때문이다.

거짓말 중에서 터무니없고 얼토당토않은 거짓말이 '새빨간 거짓말'이다. 전혀 사실이 아닌, 말도 안 되는 말이지만 속이 들여다보이는 멍청한 거짓말은 웃음을 주기도 한다. 이렇게 쉽게 거짓임이 드러나는 새빨간 거짓말은 2~4세 무렵부터 하기 시작한다. 이 시기의 유아들은 생각하는 것이 곧 현실이라고 믿고 받아들이기 때문에 상상을 현실처럼 말하는데 이러한 행동이 어른들의 눈에는 어린아이가 거짓말을 하는 것처럼 보인다. 아이는 "지난번에 아빠하고 같이 동물원 갔었잖아."처럼 실제로 일어나지 않았던 일을 마치 실제 경험인 양 이야기하곤 한다. 혼자 놀다가 실수로 물을 쏟아 놓고는 "아빠가 그랬잖아. 아빠가 잡아당겨서 이렇게 된 거잖아."라며 당장의 상황을 무마하려는 거짓말로 자신이 마치 피해자처럼 따지고 든다.

5세 정도가 되면 대단한 사람처럼 보이고 싶거나 관심을 받기 위해 거짓말하는 일이 좀 더 잦아진다. 소유와 비교의 개념이 확립되기 시작하는 것이다. 어린이집에 가서 친구가 가지고 온 예쁜 인형을 보면 "우리 집에 더 크고 멋있는 인형 있다."며 사실은 가지고 있지도 않은 인형이나 장난감을 과시하는 것과 같은 거짓말을 하게 된다.

만 6세가 되면 상대방을 배려하려는 동기가 생기면서 드디어 선의의 거짓말을 할 수 있게 된다. 이러한 친사회적 거짓말은 타인과의 원만한 관계를 유지하기 위한 수단으로 인식되고 있기 때문에 친사회적 거짓말을 이해하는 능력이 높은 유아가 친사회적 행동 능력이 뛰어나다는 연구 결과가 있다.

초등학교에 다닐 시기에 이르면 아이들은 좀 더 의도를 가지고 거짓말을 하게 된다. 주로 부모의 기대를 충족시키고 칭찬받기 위한 거짓말로 "나 받아쓰기 시험 100점 맞았어요." 같은 말이 여기에 해당된다. 이 시기에는 자기방어를 위한 거짓말들이 늘어난다. 초등학교 고학년 이후부터는 남에게 피해를 주기 위해서나 복수를 하기 위해 나쁜 의도를 가지고 거짓말을 할 수 있다.

위약 효과로 널리 알려진 플라시보Placebo 효과도 굳이 따지자면 일종의 거짓말 행위다. 약물 효과가 없는 설탕이나 소금, 생리 식염수 등의 '속임 약'을 특정한 유효성분이 있는 것처럼 환자에게 설명하고 투여했을 때, 환자가 치료에 도움이 될 것이라고 믿고 복용하면 실제로 병세가 호전되는 현상을 뜻한다. 플라시보는 '기쁘게 해드리겠습니다.'라는 라틴어에서 유래했다. 단어의 의미 그대로 기쁨과 믿음을 주면 만성질환도 치료가 되는 효과를 경험하게 된다는 것은 정신 건강이 육체 건강과 직결됨을 증명해준다.

상대의 칭찬에 대해 진정성을 의심하며 칭찬을 받아들이지

칭찬할 만한 부분이 있거나
칭찬할 만한 대상이어야
칭찬하게 된다는 점을 인정하고
자신이 '어느 정도'는 칭찬받을 만한
행동을 했다고 믿어보자.

못한다면 그렇게 여길 수밖에 없는 나름대로의 이유가 있을 것이다. 비교와 비판에 민감하여 역으로 칭찬에 예민해지거나, 칭찬했던 사람을 믿었는데 뒤통수를 맞고 배신감에 한참 동안 섭섭했던 경험은 누구에게나 있다.

칭찬하는 상대방의 마음도 하나는 아닐 것이다. 그날따라 기분 좋은 일이 있어서 혹은 나와의 부드러운 관계를 위해 던진 인사일 수도 있고, 자신이 좋은 사람으로 보이려는 계산으로 날린 계획적인 칭찬일 수도 있다. 그런데 모든 칭찬을 의심하며 일일이 상대방의 속셈을 파악하려 한다면 자기 삶이 각박해진다. 칭찬할 만한 부분이 있거나 그럴 만한 대상이어야 칭찬하게 된다는 점을 인정하고 자신이 어느 정도는 칭찬받을 만한 행동을 했다고 믿어보자. 그리고 많은 사람들이 하는 영혼 없는 선의의 거짓말은 악의가 없으니 편안하게 인사로 받아들였으면 좋겠다. 마음을 다치게 만드는 맵고 바른 소리보다 배려가 담긴 선의의 거짓말이 얼어붙은 마음을 녹일 수 있는 경우도 있다.

아무리 체중이 빠져도 여전히 뚱뚱해 보여요
: 거식증과 폭식증

민지 씨는 처음에 심한 우울증 증상 때문에 내원했다. 그런데 상담과 적절한 치료를 통해 증상이 호전되어 가던 민지 씨에게 예측하지 못한 변화가 찾아왔다. 우울증으로 인해 입맛이 떨어져 식사를 못하게 되면서 체중이 눈에 띄게 빠진 것이다. 평소 정상 체중을 유지하며 평범하고 건강한 몸매를 유지하고 있었던 그녀는 갑자기 체중이 빠져 몸이 슬림해지면서 주위로부터 폭풍 칭찬을 받게 됐다. 대부분의 칭찬을 그냥 하는 말이라 생각했지만 듣기 싫진 않았다. 예뻐졌다, 옷태가 좋다, 무슨 옷이든 찰떡처럼 소화한다는 말을 자주 들은 데다가 SNS를 통해 다이어트 식품이나 의류 광고까지 들어오게 되자 민지 씨는 어느새 날씬하다는 말에 중독돼 살 빼는 일에만 매달리고 있는 자신을 발견했다.

다이어트에 몰입한 민지 씨는 점점 살이 빠지며 누구에게나 말랐다는 이야기를 듣게 됐다. 수시로 체중을 체크하고 전신거울을 보면서 몸 상태를 확인하는 것이 일상이었으며, 더 이상 정리할 군살이 없음에도 불구하고 자기 몸이 뚱뚱하고 부어 있는 것처럼 느끼는 지경에 이르렀다. 심지어 그녀가 롤 모델로 삼았던 트레이너보다 더 마른 몸을 갖게 됐지만 전혀 만족감이 들지 않는다고 했다. 심한 다이어트의 부작용으로 탈모가 왔고, 생리가 멈췄으며 지하철에서 실신하는 일까지 일어났다. 그러나 그는 체중 감량을 멈추지 못했다. 좋아졌던 우울 증상은 다시 악화됐다.

진료실을 찾은 내담자에게 가장 많이 하는 질문이 식생활에 관한 것이다. 요즘 입맛이 어떠신지, 식사는 어떻게 하시는지를 주로 묻는다. 우울증과 같은 뇌 기능 변화에 따라 달라지는 증상 중 하나가 식욕의 변화, 식이 변화이기 때문이다.

식사와 관련된 고민은 셀 수 없이 다양하다. 아예 식욕이 없거나 식욕은 있는데 음식을 거부하는 경우, 혹은 식욕이 조절할 수 없이 증가하거나 식욕이 증가하지 않아도 습관적으로 너무 많이 먹게 될 경우 모두 상담하며 자주 다루게 되는 주제들이다.

정신건강의학과에서 사용하는 진단 기준 매뉴얼인 DSM을 기준으로, 식이장애는 몇 가지 진단이 있다. 그중에서 거식증과 폭식증 두 가지가 가장 대표적인 식이장애 질환이다.

먼저 거식증은 '신경성 식욕부진증'이라고 부른다. 마른 몸을 유지하기 위해 강박적으로 노력하는 사람들에게 나타나는 심리·정신·사회적 장애로 먹는 것을 극도로 제한하는 섭식장애다. 거식증이라고 해서 식욕이 줄었거나 없는 것으로 생각할 수 있는데 식욕은 정상이거나 오히려 더 늘어나 있는 경우가 더 많다. 거식증을 앓는 환자는 식욕이 있음에도 불구하고 애써 음식을 외면하거나 음식은 먹더라도 다른 보상 행동을 보인다. 일반적인 예로 구토하거나 설사제, 이뇨제를 남용하기도 하고, 체중을 줄이기 위해 체벌에 가까운 혹독한 운동을 한다.

거식증을 겪는 전체 환자의 대부분이 외모에 민감한 젊은 여성인데 일부 남성에게도 증상이 나타날 수 있다. 과도한 체중 감소와 영양 부족으로 인한 부작용은 심각하다. 잦은 구토로 인해 식도나 위에 염증이 발생하거나 충치가 생기는가 하면 피부가 건조해지고 탈모가 진행되며 손톱과 발톱이 부서진다.

그 밖에도 체중 감소와 함께 뼈가 약해져서 골다공증이 생기기 쉽고 빈혈, 탈수로 심혈관계에 부담이 온다. 성호르몬과 같은 호르몬 수치를 떨어뜨려 생리불순, 무월경이 올 수도 있다. 정신건강에도 영향을 미치는데, 항상 배가 고픈 상태여서 음식을 원하지만 마른 몸을 유지하려면 절대 금식해야 한다는 강박과 부딪히면서 감정 상태가 불안정해지고 집중력이 저하된다.

거식증과 대비되는 폭식증은 자신의 몸매와 체중에 대한 잘못된 인식으로 인해 많은 양의 음식을 먹으며 음식을 먹는 동안 음식 섭취에 대한 통제력을 잃는 질환이다. 신경성 대식증, 신경성 폭식증이라고도 한다.

식욕 조절이 안 되는 진우 씨는 배가 고프지 않아도 늘 먹을 것을 찾는다. 어떨 때는 하루 종일 거의 먹지 않다가 퇴근하고 집에 가면 다 먹지 못할 만큼 많은 양의 배달 음식을 시키고는 위가 늘어나 숨이 찰 정도로 먹는다. 먹고 나면 자괴감으로 우울해지는데 그 와중에 모아뒀던 돈을 배달 음식에 모두 쓰면서 자괴감은 더 커진다.

폭식증이 있으면 병적으로 지나치게 음식물을 섭취하고 나서 보상 행동을 하는데, 체중 증가를 막기 위해 스스로 구토를 유발하거나 설사가 나게 하는 하제 등을 습관적으로 복용한다. 짧은 시간 동안 많은 음식을 폭식한 다음 토해버리는 일이 반복되면 점점 구토가 폭식을 유발하게 된다. 폭식증을 앓는 사람은 체중 조절에 지나치게 집착하여 음식 조절이 안 되는 것에 대한 두려움을 가지고 있다. 음식을 먹고자 하는 욕구와 체중 증가를 피하고자 하는 열망이 서로 충돌을 일으키는 것이다.

거식증과 폭식증은 닮은 듯 다르다. 그 공통점과 차이점을 구별하는 것이 의대 재학 시절 단골 시험 문제였다. 거식증과 폭식증은 모두 '살이 찔 것 같은 두려움'과 '신체 이미지의 왜곡'이 핵심 증상이다. 특히 거식증에서 이러한 증상이 심하게 나타나는

데, 진단 기준에서처럼 정상 체중보다 낮은 상태임에도 불구하고 자꾸만 살이 찐 것 같다든지 살이 찌면 안 된다는 생각을 떨치지 못해 음식을 거부하거나 구토하거나 심한 운동을 하는 등의 이상 행동을 하게 된다.

폭식증의 신체적 부작용 역시 만만치 않다. 전해질의 불균형 현상이 나타나 심장마비의 위험성이 높아지며, 구토를 자주 하게 되어 소화계에 이상이 온다. 식도가 손상되고 위 확장이나 위 천공이 나타난다. 또한 역류한 위산의 영향으로 역류성 식도염과 치아 부식이 나타난다.

식이장애를 가진 사람이 구토를 습관적으로 하다 보면 타액이 다량 분비되면서 양쪽 귀밑 턱 쪽에 있는 침샘이 비정상적으로 커지는 경우가 많다. 이렇게 바뀐 얼굴 형태로 당사자는 극심한 스트레스를 받게 되는데, 남에게 어떻게 보이는지가 중요한 식이장애 환자에게 특히 괴로운 변화일 수 있다.

거식증은 정신질환 중 가장 사망률이 높은 위험한 병이기도 하다. 중증 알코올중독이나 약물중독 환자처럼 강제 입원이 필요하며 사망에까지 이를 수 있기 때문에 반드시 치료가 필요하다. 정상 체중보다 20% 이상 몸무게가 덜 나가면 일단 입원해서

치료해야 한다. 탈수나 전해질 이상 같은 문제를 교정하는 것이 약물치료나 정신치료보다 우선이기 때문이다. 더불어 내과적 합병증이 동반된 경우가 흔한 탓에 담당 의사는 혈액 검사를 비롯한 여러 검사 결과를 세밀히 확인한 후 입원시킨다. 입원환자는 식사 후 두 시간, 간식 후 30분과 같이 시간을 정해서 화장실에 가지 못하게 관리한다. 몰래 저지르는 구토를 막기 위해서다. 만일 화장실에 가고 싶어 하면, 다른 사람과 동행시킨다.

식이장애자가 신체적으로 안정되면 인지행동 치료를 실시한다. 식이장애 치료의 핵심인 인지행동 치료는 신체 이미지나 식사 행동이 가져올 결과에 대한 잘못된 믿음을 찾아내고 교정하는 데 초점을 둔다.

살이 쪘다는 이야기를 들으면 대다수의 사람은 잠깐 불쾌한 감정이 치밀지만 금세 잊고 넘어간다. 그러나 식이장애를 앓고 있는 사람은 자기도 모르게 극단적인 결과를 상상하게 된다. '보기 흉한 뚱보가 돼서 사람들로부터 따돌림을 당하고, 하는 일마다 실패하는 패배자로 남겠구나.'라고 생각하는 식이다. 이러한 생각의 고리를 인식하고 중단할 수 있게 돕는 것이 인지행동 치료의 목표다. 또한 행동 치료는 폭식 행동을 할 수 있는 상황을 변화시키는 치료 방법이다. 식사 후 일정 시간 동안 제자리에 앉아 있게 하는 것도 행동 요법의 일종이라고 볼 수 있다.

식이장애는 신경전달물질의 변화, 에너지 대사 과정의 변화와 같은 생물학적 원인과 주위의 평가나 사회적인 분위기 등 심리적 원인이 서로 작용하여 발생한다. 분석적 관점에서는 자신에 대한 통제감 부족이 큰 영향을 미친다. 굶어서 극도로 마른 상태여야만 "아, 내가 내 몸 하나는 조절할 수 있구나."라고 느끼기 때문이다.

살이 빠져 예쁘다는 칭찬에 중독돼 심한 거식증을 앓게 된 민지 씨는 상담과 약물치료를 통해 본인이 원하는 체중에 도달했을 때의 기쁨이나 성취감보다 신체 이미지가 왜곡되어 항상 부족하다는 느낌에 시달렸던 점을 인지할 수 있었다. 무엇보다도 민지 씨를 거식증에서 벗어나게 만든 데 가장 크게 기여한 것은 연인의 일관된 관심이었다. 그녀는 어떤 모습으로 있어도 "예쁘고 사랑스럽다."는 연인의 말을 계속 들으면서 강박적인 불안에서 벗어날 수 있었다. 처음에는 연인의 말을 '거짓말이겠지. 분

⋮

무엇보다도 민지 씨를

거식증에서 벗어나게 만든 데 가장 크게 기여한 것은

연인의 일관된 관심이었다.

그녀는 어떤 모습으로 있어도

"예쁘고 사랑스럽다."는 연인의 말을 계속 들으면서

강박적인 불안에서 벗어날 수 있었다.

⋮

명히 내가 살이 찌면 보기 싫다며 떠나겠지.'라고 의심했지만 체중의 변화와 상관없이 옆에 있어 주는 남자친구와의 연애가 지속되면서 안정을 찾게 됐다.

밖으로 드러난 문제는 섭식 문제였지만 숨어 있던 문제의 핵심은 어떤 모습이든 수용받고 싶은 욕구였다. 식이 행동의 변화에서 식이만 다루는 것은 실패할 때가 많다. 스트레스를 풀기 위해 폭식할 때도 폭식을 줄이려는 노력이 잘 되지 않아 괴로워서 오히려 더 많이 먹는 행동으로 이어진다. 스트레스의 원인을 찾고 제거하면 자연스레 폭식은 줄어든다. 식이나 식욕에 변화가 생겨 힘든 상황을 맞닥뜨렸다면 그 자체를 바꾸려고 애쓰기보다 스트레스의 원인이나 신체의 변화, 마음의 결핍을 찾는 기회로 삼고 내면을 잘 들여다보자.

손 하나 까딱할 수 없을 정도로 힘이 없어요
: 무기력증

포털 검색창에 무심코 '기력'을 검색해보니 몸에 좋다는 보양 식품과 음식 정보가 먼저 쏟아진다. 셀 수 없을 만큼 엄청난 양이다. 기력이 없거나 기력을 걱정하는 사람이 많다는 증거일 것이다. 기력은 우리 몸을 지탱하며 활동할 수 있게 하는 에너지로, 기력이 넘친다는 건 무슨 일이든 감당해 나갈 힘과 능력이 충분하다는 의미로 쓰여 왔다.

그런데 인간의 기력은 배터리와 같아서 한결같이 지속되지 못한다. 활기가 넘쳤던 사람도 힘을 모두 써서 지쳐 쓰러질 것 같은 상태가 되면 기진맥진하게 되는데, 이렇게 기력이 모두 소진될 때 느끼는 증상이 '무기력증'이다.

요즘 병원에 손 하나 까딱할 수 없을 정도로 힘이 없다며 내원하는 분들이 부쩍 많아졌다. 아무것도 하고 싶은 것이 없고, 늘 피곤하며, 무엇을 생각하는 일조차 하기 싫다면서 한없이 무기력한 증상을 하소연하는 분들이 많다. 갑자기 이렇게 무기력해질 수 있느냐며 답답해하지만 사실 무기력증은 조금씩 그 변화가 나타난다. 다만 변화를 본인이 눈치채지 못했을 뿐이다. 몸과 마음의 변화를 스스로 인지하고 걱정하게 됐을 때는 이미 심각할 정도로 무기력이 진행된 상황일 때가 많다.

혜진 씨는 자신을 챙길 시간이 전혀 없다고 했다. 유난히 알뜰한 그는 아이를 키우고 집안일을 하는 데 전력을 다하고 있었다. 생활비와 아이들의 뒤치다꺼리를 하는 데만 수입이 빠듯했기 때문에 자신을 위해 쓸 돈도 없었지만, 다소 여유가 생겼을 때도 자신에게 돈을 쓰는 것은 당치않은 사치라고 생각했다. 혜진 씨가 아낀 것은 돈뿐만이 아니었다. 시간 역시 가족이 아닌 자신을 위해 쓰는 것은 사치라고 여겼다. 혼자 운동을 하거나 여가 시간에 친구를 만나는 일이 쓸데없고 헛된 짓 같아 인간관계도 단절하고 있었다. 누가 뭐라고 하지 않아도 괜히 눈치가 보여 자신을 돌보지 못했던 것이다.

그런 혜진 씨가 스트레스를 풀 수 있는 유일한 창구가 술이었다. 누군가에게 속마음을 털어놓고 싶거나 온종일 쉴 틈 없던 집안일에 지쳐 너무나 피곤할 때 그는 일명 '혼술'을 하기 시작했다. 원래 술을 거의 못 하던 사람이었으나 자주 술을 입에 대다 보니 마시는 양이 점점 늘었다. 급기야 혜진 씨는 매일 소주 한두 병은 거뜬히 마실 정도로 주량이 늘게 됐다. 스트레스를 달래기 위한 음주가 일상이 되자 술로 인한 부작용이 나타나기 시작했다. 술을 마시고 잠을 자다 보니 중간에 자주 깨어 수면에 지장이 생겼고, 수면의 질이 떨어지자 업무 처리 능력도 떨어졌다.

혜진 씨는 급격히 무기력해졌다. 일상이 너무나 피곤해 더 이상 움직이기 싫고 몸을 일으켜 무엇인가를 해보려는 의욕도 없어졌다. 스스로 최고의 가치로 생각하던 가족을 돌보는 일조차 부질없게 느껴지고, 몸에 힘이 없으니 사소한 문제 해결이 모두 버거워서 누워 있고만 싶다고 했다.

혜진 씨가 느끼는 무기력은 뇌의 기능이 저하되어 있음을 단적으로 보여주는 증상이다. 몸을 지나치게 혹사하면 통증에 앞서 움직이는 것조차 힘들어지는 것처럼, 뇌를 너무 많이 쓰면 불안하고 우울한 것조차 느끼지 못하는 무기력에 빠지게 된다. 혜진 씨에게 스트레스가 누적되고 만성화되어 탈진과 함께 무기력해지는 번아웃 증후군이 찾아온 것이다.

신체의 연료가 모두 소진되었는데도 계속 달리다가 극도의 피로감과 의욕 상실, 무기력증과 함께 자신의 무능력을 탓하는 자기혐오가 찾아와 모든 일상을 거부하게 되는 것이 '번아웃 증후군'의 주된 증상이다.

번아웃 증후군을 예방하기 위해서는 먼저 자기가 속한 모든 영역의 역할을 완벽히 해내려는 슈퍼맨이나 슈퍼우먼 콤플렉스에서 벗어나라고 조언한다. 번아웃 증후군 증상에 가장 많이 노출된 사람이 성실하고 부지런하며 일을 좋아하는 사람들이라는 통계를 보면 이러한 충고가 이해될 것이다.

또한 번아웃 증후군은 우울증과 증상이 90% 가까이 일치한다는 결과도 있다. 둘은 비슷한 증세를 보이지만, 번아웃 증후군의 경우 증상을 일으킨 원인이 뚜렷하다는 점에서 결정적인 차이가 있다. 이처럼 원인을 명확히 알 수 있기 때문에 그 지점만 해결하면 증상도 쉽게 나아진다.

번아웃 증후군이 시작됨을 알 수 있는 몇 가지 지표가 있다. 이 증후군을 '스트레스성 뇌 피로증'이라고도 하는데, 가장 큰 특징으로 수면의 질이 나빠지고 건망증이 심해지며 성격이 변한 것처럼 생각될 정도로 짜증이 늘어난다는 점이다. 증상이 있는 사람에게서 관찰되는 나쁜 수면의 질은 일반적인 불면증과는 조금 차이가 있다. 실제로 잠을 잘 자지 못하기도 하지만 '푹 잠들지 못한 것 같다.', '아침에 일어나도 피로감이 남는다.'라고 이야기한다. 잠을 자긴 했는데 충분히 휴식을 취한 느낌이 들지 않는 것이다.

혜진 씨와 상담을 통해 몇 가지 문제점을 찾아냈다. 그는 아이를 전담해서 돌보는 소위 독박 육아를 했는데, 본가에 생활비를 보태기 위해 틈틈이 부업까지 해야 했다. 형편이 이러니 개인 시간이 없는 것은 당연했다. 게다가 그는 유달리 책임감이 강한 사람이었다. 어느 정도의 책임감은 필요하나 과도한 책임감은 번아웃 증후군을 가져오는 주요한 원인 중 하나다.

두 번째로 혜진 씨는 스트레스를 받기만 하고 풀지 못했다. 노력한 것에 대한 보상이 있어야 뇌가 지치지 않는다. 늘 열심히 사는 자신을 위한 선물이 없었고, 모임이나 운동 등 보상도 전혀 없었다. 스트레스를 푸는 수단이 없는 삶은 더욱 뇌를 지치게 한다.

세 번째 문제점은 술이다. 유일하게 그를 위로했던 술은 뇌 기능을 저하시키는 대표적인 물질이다. 장기간의 과음은 뇌세포의 크기를 줄어들게 하고 그 기능도 감소시킨다. 뇌의 크기가 점점 줄어들고 뇌 속에 공간이 생기면 체온 조절, 수면, 감정, 학습, 기억을 포함한 다양한 뇌 기능에 영향이 미친다. 기분을 좋게 풀어주는 등 음주의 좋은 점을 예로 들어 술이 뇌의 기능을 향상시키는 것으로 알고 있다면 잘못된 정보일 뿐이다.

마지막 문제점은 불면이었다. 충분히 잠을 취하지 못하면 지친 뇌가 회복하는 데 시간이 걸린다. 걱정, 불안 등으로 인해 숙면하지 못하는 뇌에 술이 한 번 더 영향을 가했다. 술은 잠을 빨리 잘 수 있게 만들기도 하지만 깊은 수면을 방해하고 잠을 끊어서 자게 만든다. 자주 깨면서 꿈도 많아져 다음 날 피곤하다. 이러한 원인을 정확히 파악하고 적절히 다루는 과정은 혜진 씨의 기력을 올리는 데 큰 도움이 됐다.

번아웃 증후군은 졸음운전과 비슷하다. 운전 중 졸릴 때는 휴식을 취하고 잠깐 눈을 붙이는 것이 가장 좋은 방법이다. 무기력증의 가장 좋은 치유법은 휴식으로 넋을 놓은 채 아무것도 하지 않는 것이다.

그런데 보통 어떻게 하면 무기력에서 벗어날 수 있을지, 뭘 하면 좋을지를 질문한다. 하고 싶은 것이 아무것도 없다면 하고 싶은 것이 생길 때까지 그냥 무조건 쉬는 것이 답이 될 수 있다. 그 어떤 해답보다 쉽지만, 현대사회에서 가장 어려운 방법일지도 모른다. 그러나 안간힘으로 졸음을 견디려고 애쓰며 운전하다가는 대형사고로 이어질 수 있다. 몸과 정신은 긴밀하기 때문에, 그렇게 전달된 신호는 매우 진솔하다는 것을 기억하자.

2:35

⋮

충분히 잠을 취하지 못하면
지친 뇌가 회복하는 데 시간이 걸린다.
걱정, 불안 등으로 인해 숙면하지 못하는 뇌에
술이 한 번 더 영향을 가했다.
술은 잠을 빨리 잘 수 있게 만들기도 하지만
깊은 수면을 방해하고 잠을 끊어서 자게 만든다.

⋮

이번에는
꼭 오래 만나고 싶어요
: 인간관계

"일이 힘들어서가 아니라 사람이 힘들어서요."

퇴사를 고민하는 사람들이 마치 입이라도 맞춘 듯이 한 목소리로 하는 말이다. 비단 직장에서뿐만이 아니다. 친구나 연인, 취미생활을 위해 모인 동호회나 문화교실, 심지어는 같은 종교생활을 하는 사이에도 마찰은 자주 일어난다. 병원을 찾은 내담자들 가운데 상당수가 대인관계로 인한 마음의 상처를 안고 있다.

진료실을 찾은 지민 씨는 남자친구와의 관계가 너무 힘들다고 했다. 그는 대인관계에서 상대방의 뜻에 거의 따르는 마음이 여린 사람이었다. 이런 지민 씨에 비해 남자친구는 자기주장이 강했다. 무슨 일이든 여자친구의 의견을 묻지 않고 자신이 선택하고 결정했다. 처음 만남을 시작하며 그저 좋기만 했을 때는 남자친구의 그러한 행동이 남자답다고 생각했다. 그런데 이런 식의 데이트가 계속되자 점점 상대방의 뜻에만 맞추는 게 힘들어졌다. 두 사람은 장거리 연애 커플이었는데 데이트를 할 때마다 만나는 장소는 남자친구의 집 근처로 정해졌다. 멀리서 지민 씨가 찾아오면 남자친구는 이동하는 것이 귀찮다며 한 장소에만 있으려고 했다.

하고 싶은 것도 많고, 보고 싶은 것도 많은 여자친구와 달리 남자친구는 시간이 지나면서 데면데면하게 행동하기 시작했다. 같이 있으면 여자친구의 얼굴보다 휴대폰을 들여다보는 시간이 길었다. 결혼하면 어느 지역에서 살고 싶냐고 조심스레 묻는 지민 씨에게 남자친구는 당연히 우리 동네라고 무 자르듯 말했다. 이직이 힘든 여자친구의 직장이나 집안 사정 등은 전혀 안중에 없다는 태도였다.

지민 씨가 이처럼 무례한 연인을 정리하지 못하는 이유는 과거 연애의 기억 때문이었다. 지민 씨는 과거에도 항상 맞춰주는 연애를 해왔다. 남자친구의 외도로 헤어지는 일이 세 차례나 반복되자 지민 씨는 상대방에 너무 맞춰주는 고분고분한 자신의 방식이 잘못이었다며 자책하게 됐다. 남자친구들에게 자신은 어떻게 해도 따라오는 만만한 사람이었던 것이다.

게다가 한 사람과 길게 연애하지 못하는 것도 본인의 문제처럼 여겨진다고 했다. 길고 안정적인 연애를 하고 싶은데 이번에도 실패하게 된다면 너무 비참할 것 같다며, 자신을 배려하지 않는 이기적인 남자친구와의 힘든 연애를 억지로 지속하고 있었다.

지민 씨는 연인 없이 혼자인 시간을 견딜 수 없었다. 더구나 전 남자친구들이 자신을 두고 다른 사람에게 눈을 돌려 떠났기에 아픔이 더 컸다. 사람에게 입은 상처를 사람으로 치유하고자 지난번 남자친구와 헤어지고 난 뒤 얼마 지나지 않아 지금의 남자친구와 성급하게 연애를 시작한 것도 후회가 된다고 했다.

지민 씨와 비슷한 고민을 하고 있는 사람이 있다면, 길고 안정적인 연애가 최선이 아니라는 것을 생각해달라고 말하고 싶다. 만일 지금 남자친구와의 관계를 정리하지 않고 지속하려 한다면 남자친구에게 무엇이든 맞춰주지 말고 본인이 원하는 것을 당당히 요구하는 연습이 필요하다. 상대에게 자신이 원하는 것을 요구하려면 지금까지 상대에게 요구하지 못했던 이유를 차분히 되짚어봐야 한다. 지민 씨가 남자친구와 만나며 무조건 상대에게 맞추기만 했던 이유는 무엇일까?

가장 큰 이유는 남자친구와의 만남을 지속하고 싶어서였다. 이번에는 남자친구를 놓치지 않으려 지민 씨는 늘 마음을 졸였다. 장거리 연애를 하는 그들의 데이트 장소가 남자친구의 지역으로 굳어진 것도 만일 자신의 지역에서 만나자고 하면 이동을 귀찮아하는 남자가 힘들다며 만나지 말자고 할 것 같아서였다. 남자친구와 헤어지지 않고 오래 만나야 한다는 생각 때문에 상대방 의견에 무조건 따랐던 것이다.

지민 씨는 전형적으로 다른 사람에게만 착한 여자다. 그런데 그는 번번이 나쁜 남자와 연결됐다. 아니, 남자친구들의 행태를 따져보면 그녀를 만났거나 만나고 있는 남자친구는 잔인하게도 지민 씨에게만 나쁜 남자였을 수 있다. 연인과의 관계를 자신에 맞게 조정하려면 균형감각이 필요하다. 적당히 맞춰주고 적당히 양보해야 건강한 만남을 지속할 수 있다.

⋮

연인과의 관계를

자신에 맞게 조정하려면 균형감각이 필요하다.

적당히 맞춰주고

적당히 양보해야

건강한 만남을 지속할 수 있다.

⋮

지민 씨의 '연애는 반드시 오랫동안 유지해야 한다.'는 생각은 다시 정리하는 게 좋다. 힘들어도 오래 유지하는 관계가 아닌 존중받고 행복한 관계를 이어가야 한다. 인간관계는 어때야 한다는 충고를 여기저기에서 많이 듣는다. 깊은 인간관계를 맺어야 하고, 다양한 사람을 만나야 하며, 안정적인 관계를 유지해야 한다는 틀에 박힌 당부들이다. 그러나 인간관계에 정답이 있을까?

정신과 의사로 많은 이들에게 인간관계에 대한 상담과 조언을 하면서, 종종 내가 지금 인간관계를 잘 맺고 있는가를 점검하곤 한다. 생활하는 동안 나도 대인관계에 수많은 갈등과 고민을 겪고 지냈다. 대학교에 입학해서는 너무 피상적인 대인관계를 유지하는 것 같아 고민이었다. 대학 시절 입학 동기가 110명을 넘었는데, 대부분의 학우들과 가볍게 인사하고 간단한 대화를 나누며 지냈다. 학과 활동도 소홀히 하지 않았고 작은 동아리 모임도 여러 개 참여했다. 그런데 깊은 마음을 털어놓을 친구가 있는지 생각해보면 쉽게 떠오르는 친구가 없었다.

고등학교 시절에는 3년 내내 기숙사 생활을 하면서 함께 공부하고 숙식을 같이했기에 친구들과 관계가 가족처럼 끈끈했다. 그 시절 친구들과의 진한 우정을 떠올리며 고등학교 친구들과 대학 친구들을 비교했다. 인간관계를 잘 못하고 있다는 생각에 빠져 허무하고 외로워했던 대학 초년 시절의 나는 아직 관계에 대한 이해가 미숙했다. 무조건 깊은 인간관계를 맺어야 한다는 세뇌된 기준에 맞춰 자신을 평가하고 있었던 것이다. 3년 동안 기숙사 생활을 하며 같이 지냈던 친구와 입학해서 겨우 두세 달 어울린 친구들을 비교하며 우울해했으니 어리석은 고민이었다.

생각해보면 고등학교 친구도 처음 몇 달은 어색하고 서먹했다. 친구들과 꼭 깊은 관계를 맺고 지내야 한다는 생각도 잘못된 것이지만 같이 지낸 시간을 고려하지 않고 두 그룹을 비교하는 일 자체가 불공평했다. 자연스레 지금은 고등학교 친구들보다도 함께 있는 시간이 길었던 대학교 동기나 정신과 동기들과의 관계가 더 돈독하다.

상담을 청한 지민 씨도 연애 초반에는 관계가 안정적이었다. 결혼 이야기를 나눌 정도로 급속히 관계가 진전되기도 했지만 이기적인 남자친구는 갈수록 무례해졌다. 상처가 깊은 지민 씨에게 질문했다. 현재 지민 씨의 상황에 친구가 놓여 있다면 뭐라고 충고하겠느냐고. 그녀는 망설임 없이 대답했다. “그런 남자와 헤어져. 무조건 오래 만나야 하는 것은 아니잖아.”

오래 만나지 않아도 괜찮고, 헤어져도 괜찮다고 생각하게 되면서부터 지민 씨는 남자친구에게 조금씩 자신의 요구를 밝혔다. 남자친구는 달라진 지민 씨의 요구를 일부 맞춰주는가 싶었지만 곧 화를 냈고 그들의 관계는 끝이 났다. 지민 씨는 지난 헤어짐처럼 이별 후 괴로워하지도 자책하지도 않았다. 그리고 당당해진 스스로를 칭찬했다. 자신의 바람처럼 관계가 길게 이어지지는 않았지만 누군가와 깊은 만남을 했던 경험 자체를 인정하게 됐다.

대부분의 경우 자신이 원하는 인간관계는 힘을 빼야 가능해진다. 깊은 인간관계를 맺기 위해서는 힘을 빼야 한다는 말이다. 현재 처한 관계에 집중하면서 같이 나누는 관계를 유지하기만 해도 서로의 마음은 자연스럽게 깊어진다. 연애를 길게 하고 싶은 상대에게 거슬릴까 지나치게 조심하고 상대에게 맞추다 보면 상대방은 나의 배려를 당연한 것으로 여기게 된다. 호의나 배려가 습관이 되면 권리인 줄 알게 될 수도 있다. 좋은 관계를 유지하려고 최선을 다해 맞춰줬으나 점점 무례하고 무신경해지는 상대를 보는 자신은 답답하고 초라해질 뿐이다. 결국 만남은 실패로 끝날 확률이 높다.

대체로 뜻대로 되지 않는 것이 인간관계다. 설사 마음이 잘 맞는 사람이라 할지라도 타이밍이 맞지 않아서 관계가 어긋날 수도 있다. 뜻대로 관계가 좋아지지 않는다면 혹시 뜻하는 것이 너무 많아서는 아닐까? 깊은 관계도 좋고 안정적인 관계도 좋지만 꼭 그래야 하는 것도 아니고 나만 노력한다고 되는 것도 아님을 잊지 말아야 한다.

"이제야 다시 삶을 찾은 것 같아요"

규형 오랜만에 오셨네요. 마지막으로 뵌 지 1년 만인가요?

지민 진짜 오랜만에 진료실에 들어서네요. 병원 근처에 일이 있어서 지나가다가 선생님 생각이 나서 들렀어요.

규형 요즘 힘든 일은 없으세요?

지민 네, 아주 잘 지내고 있어요! 상담 시작하고 너무 빨리 좋아져서 좋아진 속도만큼 또 금방 나빠지지 않을까 걱정했는데 상담을 종료하고 난 후부터 지금까지 대부분 안정적인 상태를 유지하고 있어요.

규형 다행이에요. 저는 혹시나 지민 씨 마음이 다시 안 좋아져서 오셨나 하고 잠깐 걱정했어요. 친구들은 만나세요?

지민 1년 전 다시 연락이 닿은 친구들과 여행도 다녀왔어요. 간간이 친구들을 만나 대화하며 에너지를 주고받아요. 오래간만에 마주보고 선생님과 근황을 나누게 되니 이것도 에너지가 되는 것 같아요.

규형 너무 반가운 소식이네요.

지민 평범한 소식에도 같이 기뻐해 주셔서 감사해요. 무엇보다도 선생님 덕분에 제 삶을 다시 찾은 것 같아 감사합니다. 고맙습니다, 선생님.

규형 이런 말씀을 들으면 제가 더 감사하죠.

추천의 말

추천의 말

내 안의 문제들을 객관적으로 바라볼 시간

자기계발 대표 유튜버
드로우앤드류

살면서 누구나 스스로를 자책할 때가 있다. 주변 사람들과의 관계에서 생기는 문제, 사회생활을 하면서 겪는 어려움 또는 기대만큼 해내지 못한 순간. “나는 도대체 왜 이럴까?” 하며 쉽게 자책하게 된다. 이 책에서 다룬 다양한 사례들 역시 누구나 한 번쯤은 크고 작게 경험해 봤을 내용이라 고개를 끄덕이며 읽어 내려갔다. “나만 이상한 게 아니구나!” 일상에서 마주하는 다양한 문제들의 해결책을 배우며 책장을 넘길수록 내가 가진 문제들이 작아져 보이기 시작했다. 이제는 자책을 내려놓고 내 안의 문제들을 객관적으로 바라볼 시간이다. 많은 사람들이 이 책을 통해 서로를 이해하고 나를 알아가는 시간을 가졌으면 좋겠다.

추천의 말

육지로 향하는 길을 알려주는 별자리와 같이

전홍진 성균관의대 삼성서울병원 정신건강의학과 교수, 부학장
『매우 예민한 사람들을 위한 책』 저자

우리는 사회생활을 하면서 하루에도 수많은 결정과 선택을 해야 한다. 우선 아침을 깨우는 용도로 아이스아메리카노를 마실지 라떼를 마실지 결정하면서 하루를 시작한다. 직장에서 동료가 하는 이야기에 기분이 좋지 않을 때 화를 내야 하는지 참아야 하는지에 관해 순간적인 선택을 하게 될 때도 있다. 이런 결정의 상황에서 자아는 자신만의 방어기제를 무의식적으로 사용하게 된다. 태어나면서 지금까지 경험한 수많은 일들이 모두

기억의 저편으로 사라졌지만, 그 기억에 담겨 있는 감정들은 남아서 나의 방어기제에 녹아들어 있다. 방어기제를 통한 자아의 선택에 따라서 그 이후의 시간은 전혀 내가 알지 못하는 방향으로 움직이게 된다.

나의 마음이 어디로 움직일지 모른다면 마치 작은 시냇물에서 바위에 좌충우돌하며 떠내려가는 나뭇잎처럼 인생이 어디로 향해야 할지 모르게 된다. 작은 결정도, 내가 만나는 사람과의 관계도, 사회생활도 내 마음을 잘 알고 있다면 훨씬 편하게 대비할 수 있을 것이다. 이는 중요한 결정이나 선택을 해야 할 때도 마찬가지다. 마음은 외부의 스트레스에 의해서 전혀 엉뚱한 결정을 내리게 되기도 하고, 신체 증상으로 변형되기도 한다.

이 책의 저자는 정신건강의학과 전문의로 오랜 시간 동안 상담을 통해서 고민한 내용을 사려 깊게 독자에게 전한다. 책을 읽으며 마음이 편안해지는 부분에 따로 표시를 해둬도 좋다. 그 내용이 당신의 방어기제를 이해할 수 있는 중요한 단서가 될 것이다.

망망대해에서 육지로 향하는 항로를 알려주는 별자리처럼 이 책은 자신의 마음을 알고 싶고 이해하고 싶은 분들께 방향을 제시해줄 것이다.

추천의 말

무심한 듯 따뜻한 허규형의 문장들

오동훈 정신건강의학과 전문의,
유튜브 <뇌부자들> 운영

이 책을 읽고 나서 받은 느낌을 한 문장으로 표현하라면 "무심한 듯 따뜻하다"이다. 책 속에서 작가는 여느 심리 서적들이 그렇듯 과도한 친절을 보여주는 대신 자신의 진료 경험을 그저 덤덤한 말투로 이야기한다. 함께 방송을 준비할 때면 항상 입버릇처럼 이야기하던 '쉽게 풀어내지 않으면 사람들에게 닿을 수 없다'라는 말처럼, 곳곳에 등장하는 여러 가지 정신의학적 개념들 역시 복잡한 수사 없이 담백하게 설명한다. 하지만 이 책이 마냥 건조하기만 한 건 아니다. 작가가 들려주는 이야기를 따라가다 보면 은은한 온기를 담은 위로의 메시지가 어느새 불쑥 마음 한켠을 파고드는 것을 느낄 수 있을 테니 말이다.

작가를 누구보다 가까이서, 오랫동안 봐왔다고 자부하는 사람이자 또 한 명의 정신과 전문의로서 나는 허규형 전문의를 전적으로 신뢰한다. 여러분도 그가 들려주는 이야기에 귀를 기울여 보셨으면 좋겠다. 분명 어느 지점에선가 '이건 나에게 하는 말'이라고 느끼는 순간이 올 것이다. 그리고 그 메시지가 마음속 힘을 일깨워 한 걸음 더 앞으로 나아갈 수 있도록 여러분을 부드럽게 끌어당길 것이다.

추천의 말

어떤 사람이든 더 좋게 변할 수 있다

김지용 정신건강의학과 전문의,
tvN <유 퀴즈 온 더 블럭> 출연

추천의 말을 쓴다는 것은 꽤 부담스러운 일이다. 크나큰 노력이 담긴 저작물의 큰 부분을 차지하게 되니. 누군가 서점에서 책을 펴는 순간 여기부터 읽을 수 있고, 그리하여 금세 덮고 옆의 책으로 이동하게 될지도 모른다. 이런 생각이 작성 기한이 훌쩍 지나간 지금까지 이 짧은 글의 시작을 막고 있었다. 그런데 문득 이와 비슷한 상황에 작가와 대화한 기억이 떠올랐다. 해야 할 일을 계속 미루고 안 보던 웹툰까지 찾아보다 결국 거의 밤을 새우고 왔다고 자책하는 내게, 그는 애초에 그 시간들 모두가 일의 진행 과정이지 않냐며 부드러운 말과 미소로 나의 자괴감을 녹여버렸다. 이 부드러움이 그의 가장 큰 특징이다. 이 책의 말투 또한 그렇다. 시중의 책들에서 흔히 보이는 억지 섞인 공감과 위로가 아닌, 잔잔하고 부드러운 접근이 내가 아는 그의 성격을 닮았다.

사람은 변한다. 책에서 설명하는 여러 심리와 무의식 속 방어기제들을 깨닫고 변하고자 노력하면, 조금씩 더 괜찮은 사람이 된다. 작가 또한 그렇다. 20년을 함께했음에도 그에 대해 모르는 부분이 아직 많지만, 확실히 증언할 수 있는 것은 계속해서 더 나은 사람으로 변해 왔다는 것이다. 타인이 아닌, 과거의 자신과 비교하면서.

나는 왜 자꾸 내 탓을 할까

1판 1쇄 발행 2023년 8월 23일
1판 2쇄 발행 2023년 9월 25일

지은이 허규형
기획편집 한미리
마케팅 정진아 이유림

일러스트 채록
디자인 데일리루틴

제작 세걸음

펴낸곳 (주)밀리의서재
출판등록 2017년 1월 5일 (제2017-000008호)
주소 (04036) 서울특별시 마포구 양화로 45, 16층(서교동, 메세나폴리스 세아타워)
전화 070-7510-5415
팩스 02-6455-5655
메일 publishing@millie.town
홈페이지 https://www.millie.co.kr

ISBN 979-11-6908-355-3 (03180)

* 오리지널스는 여러분의 소중한 원고를 기다립니다. publishing@millie.town으로 투고해주세요.